Power food

van Friesland naar New York

Pure recepten van

RENS KROES

Voor een happy & healthy lifestyle

Spectrum

Colofon

Tekst en receptuur
RENS KROES

Art director
BÜLENT YÜKSEL
www.bybulent.com

Fotografie Friesland en New York
ANNE TIMMER

Styling Rens
RENSKE VAN DER PLOEG @ HOUSE OF ORANGE

Visagie
Friesland YOKAW @ ANGELIQUE HOORN | *New York* MARY WILES @ CAREN

Eindredactie
TANJA TERSTAPPEN

Postproductie
NEDA GUEORGUIEVA

Fotografie recepten en spreads
LIEKE HEIJN & PIM JANSWAARD *Cameron studio*

Styling recepten en spreads
LIEKE HEIJN *Cameron studio*

Culinaire realisatie
YVONNE JIMMINK & JACQUELINE PIETROWSKI

Productie lifestylefotografie
Friesland SANDRA DE COCQ PRODUCTIONS
New York SANNE ZWAAN, SPARK PRODUCTIONS

Kleding Rens
CONVERSE, DESIGNER REMIX, ÉTOILE*ISABEL MARANT, GANNI, NIKE, IRO, IVY & LIV, LOVE STORIES,
PAIGE, PAUL&JOE SISTER, POMANTERE, RAG&BONE, SAMSOE SAMSOE, STELLA MCCARTNEY, VANS

Met dank aan
KIMBERLEY JADE BLEEKER, BROOD & PLANK, JOHAN BROUWER, MELISSA CHAPMAN, HERBERGH DE
PAREL, BAUKE JONKMAN, TRISH NEVE, DOEKE OOSTERBAAN, ROBERT PETRI, FRANSJE VERSLOOT,
TINEKE VAN DER WAL, IMKA WESTERHUIS

ISBN 978 90 00 34504 5 | NUR 440, 860
Dit boek is ook leverbaar als ebook: ISBN 978 90 00 34505 2

© Rens Kroes
© Nederlandstalige uitgave: Uitgeverij Unieboek | Het Spectrum bv, Houten – Antwerpen

Deze uitgave kwam tot stand met medewerking van The Fame Game.

Eerste druk, juni 2015 | Tweede druk, juli 2015 | Derde druk, juli 2015

 Facebook.com/renskroes   @renskroes   @renskroes

Spectrum maak deel uit van Uitgeverij Unieboek | Het Spectrum bv | Postbus 97 | 3990 DB | Houten
www.unieboekspectrum.nl

Inhoud

*F*riesland en New York: twee tegenpolen. Zou je denken, maar tóch voel ik me heel erg verbonden met allebei de plekken. In 'it Heitelân' heb ik mijn liefde voor voeding ontdekt. Ik leerde er de basis. Mijn ouders schotelden mij als kind al 'powerfood' voor: voedsel dat een positief effect heeft op je lichaam en je gezondheid. Ik leerde de invloed van eten op je lichaam. Samen met mijn ouders struinde ik biologische winkels en markten af. We haalden onze eieren vers uit het kippenhok van de buren, we verbouwden groenten in onze eigen moestuin en we aten daarnaast ook van alles uit de tuin: brandnetels, Oost-Indische kers, viooltjes, paardenbloembladeren... Voor een extra vitamine-boost. En die mocht ik zelf zoeken. Ik sprong over slootjes om kruiden en bladeren van de kanten te plukken, omdat ze daar het lekkerst zijn. Ook sperziebonen plukken tussen de stokken vond ik geweldig. Mijn moeder gaf me dan een groot vergiet mee dat ik mocht vullen. We aten de boontjes met home made mayonaise, alsof het patat was. Blauwe bessen en frambozen oogsten behoorde ook tot mijn taakjes, al gebeurde het nét iets te vaak dat ik terugkwam zonder buit, maar mét een hele roodgekleurde mond en handen.

Koken vond ik als kind al te gek. Behalve taartjes bakken, stookte ik achter in de tuin een vuurtje om zelf groentesoep te maken. Ik plukte wat groenten uit de tuin en met een stokje roerde ik de soep. Erg lekker was het niet, maar ik was supertrots dat ik het had gemaakt. Inmiddels is mijn Hollandse groentesoep flink verbeterd en vind je het recept terug in dit boek.

Na mijn tienerjaren wilde ik meer diepgang en ik zocht inspiratie. Er was maar één stad die me daarvoor groot genoeg leek: New York. Mijn liefde voor *food* kreeg daar nog meer vorm. Ik ontdekte internationale keukens zoals Indiaas en Mexicaans, maar ook fantastische vegetarische recepten en raw food. *I fell in love with NYC* en sindsdien is het mijn tweede thuis. Als er een *food market* is, ben ik er te vinden. Ik ken élk restaurantje in mijn favoriete buurtje East Village, ik fiets regelmatig naar China Town op zoek naar fruit en groenten waarmee ik kan experimenteren en Brooklyn fascineert me door de hippe tentjes en nieuwe producten.

Voorwoord

In Friesland liggen mijn roots en New York heeft me gevormd. Niet alleen als persoon, maar ook in wat ik op tafel zet. En die inspiratie deel ik graag met jullie. In dit boek vind je mijn lievelingsrecepten die ik heb meegenomen uit Friesland en New York. Ik zou het geweldig vinden als het jou ook inspireert, en je dankzij dit boek bewuster naar voeding gaat kijken. Ik hoop dat je met heel veel plezier uit Powerfood - Van Friesland naar New York kookt, dat de recepten je *healthy* en *happy* maken en dat je ervan geniet! Want inmiddels weet je dat dát is waar het om gaat.

With love,

Rens Kroes

Ontbijt

Ready, set, breakfast!

Breakfast is heilig! Ik sla geen ontbijt over en ik eet nooit drie dagen hetzelfde. Mijn nummer één ontbijtgebod: eet waarvoor je in the mood bent. Dan start je je dag zó lekker. In Amsterdam heb ik vaak veel te doen, dus moet mijn ontbijt een quick fix zijn. In New York maak ik het liefst een lekkere hartige of zoete muffin of een pannenkoek. En in Friesland kies ik voor een roggebrood-je met een dikke laag notenpasta.

WORTELONTBIJT

MET DIT ONTBIJTJE KRIJG JE EEN FLINKE *shot* BÈTACAROTEEN BINNEN. DE WERKZAME STOF IN WORTELEN IS GOED VOOR JE *huid* EN JE *ogen*. KLINKT WORTEL IN DE OCHTEND EEN BEETJE VREEMD? *Just try it!* JÚIST DOOR DE WORTEL WORDT DIT ONTBIJT HEERLIJK *zoet*.

BEREIDINGSTIJD
20 MINUTEN

INGREDIËNTEN (2 PERSONEN)
··· 2 MIDDELGROTE WINTERWORTELS
(CA. 200 G)
··· 400 ML RIJSTMELK
··· 100 G HAVERMOUT
··· 1 EL GEBROKEN LIJNZAAD
··· SNUFJE ZEEZOUT
··· 1 TL KANEELPOEDER
··· 1 TL VANILLEPOEDER, ONGEZOET
··· 1 TL GEMBERPOEDER
··· 2 HANDJES GOJIBESSEN
··· 2 HANDJES MOERBEIEN
··· 1 TL (ZELFGEMAAKTE)
NOTENPASTA

BEREIDING

Rasp de wortels. Breng 400 ml rijstmelk in een pannetje op middelhoog vuur aan de kook en voeg al roerend de havermout toe. Draai het vuur laag en laat ongeveer 10 min zachtjes koken. Voeg dan de wortelrasp toe en kook mee tot deze zacht wordt. Roer regelmatig door om aanbranden te voorkomen en voeg extra melk toe als de pap te dik wordt.

Wanneer de havermout klaar is, voeg je de andere ingrediënten toe (maar houd de helft van de gojibessen en moerbeien achter voor garnering). Laat nog een paar minuutjes nawellen. Roer dan even goed door en verdeel het wortelontbijtje over twee schaaltjes.

Bestrooi met de achtergehouden gojibessen en moerbeien en schep er een grote theelepel notenpasta bij.

ROGGE-ONTBIJTKOEK

ALS *kind* KREEG IK NOOIT ONTBIJTKOEK, OMDAT MIJN *moeder* VINDT DAT ER TE VEEL SUIKER IN ZIT. HEEFT ZE EEN PUNTJE NATUURLIJK. WÉL KREEG IK *Fries* ROGGEBROOD. *of course!* IK HEB EEN *combinatie* GEMAAKT. IK EET HET ALS ONTBIJT OF IK SNACK EEN PLAK BIJ EEN KOP *thee.*

BEREIDINGSTIJD
15 MINUTEN

BAKTIJD
CA. 60 MINUTEN

INGREDIËNTEN
(1 GROTE ONTBIJTKOEK)
··· 125 G ONTPITTE DADELS
··· 200 ML HEET WATER
··· 3 TL SPECULAASKRUIDEN
··· 3 EIEREN
··· 100 G PECANNOTEN, OF ANDERE
    NOTEN NAAR WENS
··· 200 G ROGGEMEEL
··· 100 G RIJSTMEEL
··· 100 ML RIJSTMELK
··· 3 TL WIJNSTEENBAKPOEDER
··· KOKOSOLIE, OM BAKBLIK MEE IN
    TE VETTEN
··· 1 1/2 EL KOKOSBLOESEMSUIKER

BENODIGDHEDEN
BLENDER OF KEUKENMACHINE
VIJZEL
CAKEBLIK

BEREIDING

Verwarm de oven voor op 160 °C. Doe de dadels, heet water, speculaaskruiden en eieren in de blender en mix tot een romig beslag.

Stamp de pecannoten fijn met een vijzel. Schenk de dadelmassa in een kom en voeg meel, rijstmelk en wijnsteenbakpoeder toe. Roer alles goed met een houten lepel door elkaar. Doe vervolgens de noten erbij en roer weer. Vet het blik in met kokosolie en schenk het deeg erin. Bestrooi met de kokosbloesemsuiker.

Zet het blik in de voorverwarmde oven en bak de koek in ca. 60 min. gaar. Prik na 60 min. met een houten prikker in je ontbijtkoek. Als deze er schoon uit komt, is de koek gaar. Zo niet, dan bak je hem nog 10 min. langer.

Laat de koek 10 min. afkoelen voordat je hem uit de vorm haalt. Wacht met snijden tot de koek helemaal is afgekoeld. Ik vind rogge-ontbijtkoek heerlijk met wat chiajam, notenpasta of gewoon met niks erop.

HAPPINESS SMOOTHIE *foto blz. 27*

Cacao WORDT IN SOMMIGE CULTUREN GEZIEN ALS VOEDING VOOR GODEN. *Ooh la la...* GODIN OF NIET: CACAO IS OOK EEN VAN MIJN FAVORIETE *powerfoods*, WANT HET MAAKT JE *vrolijk*. DE BANAAN EN AVOCADO ZORGEN DAT JE GENOEG ENERGIE HEBT VOOR DE HELE OCHTEND. MET DEZE ONTBIJTSMOOTHIE START JE JE DAG MET *good vibes!*

BEREIDINGSTIJD
5 MINUTEN

INGREDIËNTEN (2 PERSONEN)
··· 2 BANANEN
··· 1 AVOCADO
··· 3 EL RAUWE CACAOPOEDER
··· 2 TL MACAPOEDER (OPTIONEEL)
··· 2 SCHEUTJES AMANDELMELK
··· HANDJE CACAONIBS

BENODIGDHEDEN
BLENDER OF KEUKENMACHINE

BEREIDING

Haal de schil van de bananen, snijd de avocado doormidden en schep een halve avocado met een lepel in de blender of keukenmachine. Doe de rest van de ingrediënten erbij en mix tot een smeuïg geheel. Je kunt ook een staafmixer gebruiken. Schenk in een klein glas en strooi er wat cacaonibs overheen.

Tip! In plaats van 8 kleine cookies kun je ook 2 grotere koeken maken.

BREAKFAST COOKIES foto blz. 189

In a hurry? DEZE GLUTENVRIJE, *voedzame* KOEKJES ZIJN VULLEND ÉN GEZOND. MAAK ZE ALVAST OP EEN RUSTIG MOMENT IN JE WEEKEND, DAN KUN JE ER TIJDENS JE DRUKKE *werkweek* ELKE OCHTEND EEN PAAR MEE-GRISSEN ALS JE DE DEUR *uitrent*.

BEREIDINGSTIJD
CA. 20 MINUTEN

INGREDIËNTEN (8 STUKS)
- 2 BANANEN
- 120 G HAVERMOUT
- 2 EL RAUWE CACAOPOEDER
- 2 VANILLEDRUPPELTJES OF 1 TL VANILLEPOEDER, ONGEZOET
- 1 EL ROZIJNEN
- 1 EL KOKOSRASP

BENODIGDHEDEN
BAKPAPIER

BEREIDING

Verwarm de oven voor op 180 °C. Prak de bananen met een vork. Doe de puree samen met de rest van de ingrediënten in een kom en roer goed door. Schep dan steeds een eetlepel van het mengsel op een stuk bakpapier en druk het plat. Bak de koekjes vervolgens 15 min. in de voorverwarmde oven. Kijk om de 5 min. even hoe het gaat. Superlekker om hiermee je dag te starten!

POWEROMELET

Ready, set, go! VÓÓR OF NA MIJN *morning workout* VIND IK DIT HEERLIJK. IK EET ER VAAK TWEE *crackers* BIJ VOOR EEN *koolhydraat-boost.*

BEREIDINGSTIJD
15 MINUTEN

INGREDIËNTEN (1 OMELET)
··· 2 EIEREN
··· 1 EL RIJSTMELK OF ANDERE
    PLANTAARDIGE MELK
··· SNUFJE ZWARTE PEPER
··· MESPUNTJE ZEEZOUT
··· 1/2 TL OREGANO, GEDROOGD
··· HANDJE VERSE BASILICUMBLAAD-
    JES, FIJNGESNEDEN
··· 2 TL KOKOSOLIE
··· HANDJE BABYSPINAZIE
··· 1/2 AVOCADO
··· 1/2 TL HONING
··· HANDJE WALNOTEN
··· 30 G ZACHTE GEITENKAAS,
    NATUREL
··· CAYENNEPEPER, OPTIONEEL

BENODIGDHEDEN
GARDE

BEREIDING

Doe de eieren, rijstmelk, zwarte peper, zeezout en oregano in een kom en klop het mengsel met een garde luchtig. Voeg de fijngesneden basilicum toe. Roer nog een keer.

Verwarm een koekenpan met de kokosolie op laag vuur. Zodra de olie is gesmolten, kan het eimengsel de pan in. Leg de spinazie erbovenop. Zet het vuur uit zodra de eieren gestold zijn.

Lepel het vruchtvlees uit de avocado en snijd het in blokjes of reepjes. Hak de walnoten fijn en verdeel over de spinazie. Bestrooi de omelet met de verbrokkelde zachte geitenkaas en wat honing.

Rol op en leg het op een bord. Als je van spicy houdt, kun je nog een mespuntje cayennepeper eroverheen strooien.

POMPOEN

Je kunt zoveel doen met pompoen. Ha, flauw. Maar het is wel waar. Ik verwerk zo'n oranje unit in broden, salades, nasi, soepen, toetjes en smoothies. Want pompoen heeft een heerlijke zoete, romige en volle smaak. Het is een echte herfstgroente en bij dat jaargetijde past de smaak perfect. Pompoen geeft je bovendien precies wat je tijdens gure herfstmaanden nodig hebt: bètacaroteen, magnesium, kalium en ijzer. Alles van de pompoen is eetbaar, de bladeren, bloemen, pitten, geperste olie uit de pitten, de schil én het vruchtvlees.

AUTUMN SMOOTHIE

Pompoen ALS ONTBIJT? YEP! IK VERWERK ZO'N oranje UNIT IN BROOD, salades, DE NASI, MAAR OOK IN TOETJES EN SMOOTHIES. WANT POMPOEN HEEFT EEN HEERLIJKE ZOETE, romige EN VOLLE SMAAK. DEZE POMPOENSMOOTHIE WARMT JE 'S OCHTENDS OP TIJDENS GURE herfstmaanden.

BEREIDINGSTIJD
CA. 55 MINUTEN

INGREDIËNTEN (500 ML)
··· 450 G FLESPOMPOEN
··· 1 BANAAN
··· 1 TL KANEELPOEDER
··· 1/2 TL VANILLEPOEDER, ONGEZOET
··· 1 MESPUNTJE KRUIDNAGELPOEDER
··· 1 MESPUNTJE GEMBERPOEDER
··· 4 DADELS, ZONDER PIT
··· 300 ML HAVERMELK

BENODIGDHEDEN
BLENDER

BEREIDING

Verwarm de oven voor op 200 °C. Snijd de pompoen doormidden, leg de helften met de snijkanten naar beneden in een ovenschaal met een laagje water, en rooster ze ca. 15 min. in de oven of totdat het vruchtvlees zacht is. Verwijder de schil en doe de pompoen in stukken in de blender. Voeg de overige ingrediënten toe en mix tot een gladde massa.

How to be happy?
Decide every
morning that you are
in a good mood.

RIJSTONTBIJTJE

RIJST! WEER EENS WAT *anders* DAN HAVERMOUT. JE KUNT RIJST MET DEZELFDE *smaakmakers* COMBINEREN EN HET GEEFT JE HETZELFDE *gevulde* GEVOEL. DANKZIJ *kaneel* EN KARDEMOM WORD JE VAN DIT ONTBIJT HELEMAAL *relaxed* EN WARM.

BEREIDINGSTIJD
CA. 5 MINUTEN + KOOKTIJD
VOOR DE RIJST

INGREDIËNTEN (3 À 4 PERSONEN)
··· 1 APPEL
··· 550 ML RIJSTMELK (OF ANDERE MELK NAAR WENS)
··· 1/2 TL VENKELZAAD
··· 5 ONTPITTE DADELS OF HANDJE ROZIJNEN
··· 1/2 TL KANEELPOEDER
··· MESPUNTJE VANILLEPOEDER, ONGEZOET
··· MESPUNTJE KARDEMOMPOEDER
··· HANDJE GEMENGDE NOTEN
··· SNUFJE ZEEZOUT
··· 250 G VOLKOREN (BASMATI) RIJST, GEKOOKT

BENODIGDHEDEN
BLENDER OF KEUKENMACHINE

BEREIDING

Was de appel, en snijd in stukjes. Doe 250 ml rijstmelk en de overige ingrediënten, behalve de rijst, in de blender of keukenmachine en mix tot een gladde appelmoes.
Schenk daarna de rest van de rijstmelk in een pannetje, doe de appelmoes erbij en warm het op. Serveer het in een mooi kommetje en geniet van dit lekker verwarmende, ayurvedisch ontbijtje!

Tip! Als je 's avonds een rijstmaaltijd klaarmaakt, kook dan een beetje extra rijst. Bewaar in de koelkast en verwerk het de volgende dag in je ontbijt.

SWEET & SOUR BREAKFAST

ZO AF EN TOE HEB IK *'s ochtends* BEHOEFTE AAN IETS *zuurs*. OM MIJN LIJF *wakker* TE SCHUDDEN EN TE REINIGEN. DIT ONTBIJT GEEFT JE DE PERFECTE *shake up* ALS JE HET EEN NACHT NÉT IETS TE LAAT HEBT GEMAAKT… DE *dadels* ZORGEN VOOR EEN FIJNE BALANS IN ZOET EN *zuur*.

BEREIDINGSTIJD
··· CA. 10 MINUTEN

INGREDIËNTEN (2 PERSONEN)
··· 4 CITROENEN
··· 2 RIJPE AVOCADO'S
··· 10 ONTPITTE (MEDJOOL)DADELS
··· 2 TL KANEELPOEDER
··· CACAONIBS EN FRAMBOZEN, OPTIONEEL

BENODIGDHEDEN
BLENDER, KEUKENMACHINE OF STAAFMIXER

BEREIDING

Schil en halveer de citroenen en haal de pitjes eruit. Snijd de avocado's doormidden, verwijder de pit en lepel het vruchtvlees eruit. Doe de citroenen en het avocadovruchtvlees in de blender of keukenmachine en voeg de rest van de ingrediënten toe. Mix tot een smeuïge massa. Met een staafmixer gaat het trouwens ook prima.

Giet de smoothie in kleine glazen en strooi er eventueel wat cacaonibs, frambozen of eventueel ander fruit over.

BOWL OF FRUIT

ALS JE EEN *lange* DAG VOOR DE BOEG HEBT, IS DIT JE *ideale* ONTBIJT. HET IS ZÓ KLAAR EN DOOR HET VELE FRUIT IS HET EEN VITAMINE C-BOMMETJE EN *ruikt* HET HEERLIJK. DE HAVERMOUT, *avocado's* EN HET TARWEGRASPOEDER GEVEN JE LIJF *instant energy*. BAM!

BEREIDINGSTIJD
CA.10 MINUTEN

INGREDIËNTEN (2 PERSONEN)
··· 2 AVOCADO'S
··· 2 KIWI'S
··· 1 APPEL
··· 1 SINAASAPPEL
··· 200 ML AMANDELMELK
··· 2 EL HAVERMOUT
··· 2 TL HONING
··· 1 EL TARWEGRASPOEDER
··· 2 HANDJES BLAUWE BESSEN

BENODIGDHEDEN
BLENDER OF KEUKENMACHINE

BEREIDING

Verwijder de pit uit de avocado's en schep het vruchtvlees eruit. Schil de kiwi's, snijd de appel doormidden en haal het klokhuis eruit en pers de sinaasappel. Doe alle ingrediënten – behalve de blauwe bessen – in de blender en mix tot een smeuïge massa. Schep *de Bowl of fruit* in een grote kom en strooi blauwe bessen erover.

recept blz. 12

HARTIGE MUFFINS

NIET IEDEREEN HOUDT VAN EEN ZOET ONTBIJT. EN DAAR HEB IK OOK NIET ALTIJD *trek* IN. VOOR EEN HARTIGE *start* MAAK IK *vaak* DEZE MUFFINS. MET TIJM, OLIJVEN, *feta* EN WALNOTEN. HET ALLERLEKKERST MET *honing* EROP!

BEREIDINGSTIJD
45 MINUTEN

INGREDIËNTEN (10 GROTE MUFFINS)
··· 3 EIEREN
··· 200 G RIJST-, SPELT- OF
    BOEKWEITMEEL OF 100 G
    HAVERMOUT
··· ZEEZOUT
··· 1 EL WIJNSTEENBAKPOEDER
··· 200 ML BIOLOGISCHE
    SOJAYOGHURT
··· 2 HANDJES VERSE TIJMBLAADJES
    (OF 2 EL GEDROOGDE)
··· 80 G ONTPITTE ZWARTE OLIJVEN
··· 2 HANDJES WALNOTEN
··· 150 G FETA

BENODIGDHEDEN
GARDE
GROTE MUFFINVORMEN OF
MUFFINBLIK MET GROTE HOLTES

BEREIDING

Verwarm de oven voor op 180 °C. Klop de eieren met een garde in een grote schaal licht en schuimig. Doe vervolgens het meel of de havermout, zeezout, wijnsteenbakpoeder en de sojayoghurt erbij en roer alles met een grote lepel door elkaar.

Snijd de tijm fijn en de zwarte olijven in plakjes, hak de walnoten fijn en voeg het bij het deeg. Kruimel vervolgens de feta erboven en meng alles goed.

Schep met 2 eetlepels het beslag in de muffinvormpjes. Bak ze 30 min. in de oven.

"If we are what we eat well I am awfully sweet.

POFFERTJES

ALTIJD FEEST MET DEZE *oer-Hollandse* LEKKERNIJ. *Vroeger* BETEKENDEN POFFERTJES DAT ER WAT TE VIEREN VIEL. EN NOG STEEDS IS HET EEN FEESTJE OM ZE TE MAKEN. IK DOE DAT MEESTAL ALS IK MIJN HUIS VOL HEB MET *kids*, MAAR *stiekem* ORGANISEER IK OOK WELEENS EEN *poffertjesontbijtfestijn* VOOR MEZELF.

BEREIDINGSTIJD
30 MINUTEN

INGREDIËNTEN (CA. 75 POFFERTJES)
··· 1 EL KOKOSBLOESEMSUIKER
··· 1 TL WIJNSTEENBAKPOEDER
··· 1 BANAAN
··· 50 G BOEKWEITMEEL
··· 150 ML RIJSTMELK
··· SNUFJE KANEELPOEDER
··· 4 EIEREN
··· SNUFJE ZEEZOUT
··· KOKOSOLIE OM MEE IN TE
    VETTEN EN TE BAKKEN

BENODIGDHEDEN
BLENDER
POFFERTJESPAN

BEREIDING

Doe alle ingrediënten, behalve de kokosolie, in de blender en mix het tot een gladde massa.
Zet de poffertjespan op middelhoog vuur en vet deze in met kokosolie. Schenk wat beslag in de kleine ronde holtes en bak beide kanten goudbruin. Het omdraaien en uit de pan halen van de poffertjes gaat het handigst en snelst met een vork. Herhaal totdat al het beslag op is. Je kunt deze poffertjes zowel warm als koud eten!

*Tip! Try it
met cranberrysaus.
Zie blz. 166.*

Heerlijk met wat kokosslagroom erbovenop. Zie blz. 169. Enjoy!

BLUEBERRY CRUMBLE

DEZE BOSBESSENCRUMBLE EET IK IN DE *zomermaanden* MINSTENS TWEE KEER PER WEEK. HET IS NET EEN *taartje!*

BEREIDINGSTIJD
CA. 50 MINUTEN

INGREDIËNTEN (4 PERSONEN)
VOOR DE VULLING
··· 400 G BLAUWE BESSEN
··· 1 CITROEN, BIOLOGISCH
··· 2 EL BOEKWEITMEEL
··· 1/2 TL KANEELPOEDER

VOOR DE TOPPING
··· 100 G WALNOTEN OF
    PECANNOTEN
··· 2 EL KOKOSOLIE, GESMOLTEN
··· 50 G BOEKWEITMEEL
··· 40 G ZONNEBLOEMPITTEN
··· SNUFJE ZEEZOUT
··· 2 TL WIJNSTEENBAKPOEDER
··· 40 G HAVERMOUT
··· 1 EL KOKOSBLOESEMSUIKER OF
    3 EL HONING (OPTIONEEL)

BENODIGDHEDEN
KLEINE OVENSCHAAL (21 × 15 CM)

BEREIDING

Verwarm de oven voor op 180 °C. Spoel de blauwe bessen schoon en doe ze in een kom. Was de citroen en rasp een theelepel schil boven de kom. Knijp dan een halve citroen erboven uit. Doe het boekweitmeel en kaneel erbij en roer alles goed door elkaar. Spatel het mengsel vervolgens in een ovenschaaltje. Spoel de kom schoon.

Hak voor de topping de walnoten fijn, smelt de kokosolie in een steelpannetje en doe dit samen met het boekweitmeel, zonnebloempitten, zeezout, wijnsteenbakpoeder, havermout en eventueel de suiker of honing in een kom. Hussel alles goed door elkaar en strooi het over de bosbessen.

Zet de schaal 35 min. in de oven en laat de crumble daarna 15 min. afkoelen. Het blijft ongeveer een uurtje warm.

WAFELS

VASTE PRIK IN *New York*: WAFELS OP *zondagochtend* IN EEN VAN DE *hippe* KOFFIETENTJES. HET *ultieme* WEEKENDGEVOEL! TOEN IK TERUG WAS IN AMSTERDAM HEB IK MEZELF MAAR OP EEN *wafelijzer* GETRAKTEERD OM DAT GEVOEL AF EN TOE WEER EVEN OP TE ROEPEN. VOOR DEZE *feestelijke* ONTBIJTJES MAG JE MIJ ALTIJD WAKKER MAKEN!

BEREIDINGSTIJD
20 MINUTEN

INGREDIËNTEN (6 WAFELS)
··· 300 ML AMANDELMELK
··· 1 TL APPELAZIJN
··· 4 EL KOKOSOLIE, GESMOLTEN
··· 2 EIEREN
··· 125 G BOEKWEITMEEL
··· MESPUNTJE VANILLEPOEDER, ONGEZOET
··· 1 1/2 TL WIJNSTEENBAKPOEDER
··· MESPUNTJE KANEELPOEDER
··· SNUFJE ZEEZOUT

BENODIGDHEDEN
WAFELIJZER

BEREIDING

Doe de amandelmelk en de appelazijn in een grote kom, roer en laat het dan 5 min. rusten. Verwarm het wafelijzer. Voeg de gesmolten kokosolie met de eieren bij de amandelmelk. Roer weer goed. Voeg de rest van de ingrediënten toe en roer nogmaals alles goed door elkaar. Doe het beslag over in een schenkbeker.

Giet een derde van je beslag in het hete wafelijzer en sluit het deksel. Bak de wafels ongeveer 3 à 4 min. (dit is afhankelijk van je ijzer) goudbruin. Herhaal dit nog twee keer. En geniet!

Tip! So good met chocoladesaus! Check blz. 167 voor het recept.

Lunch

It's lunch o'clock!

Keep calm and have lunch. Of dat nou in Tompkins Square Park, een lunchroom of op een zeilboot is... En dat betekent dus niet vlug-vlug achter je desk. Als ik 's ochtends al weet dat ik de hele dag op pad ben, haal ik een soepje uit de vriezer en neem dat samen met wat home made crackers mee in mijn tas. Of ik maak de avond ervoor al een bak salade, zodat ik die tijdens mijn lunchbreak lekker op kan eten.

Tip! Alle ingrediënten vind je bij de bio supermarkt en bij de toko.

VIETNAMESE SUMMER ROLLS

ALS WE *JETLAGGED* IN NEW YORK AANKOMEN, TRAKTEERT MIJN *BOYFRIEND* ME VAAK OP GEWELDIGE *SUMMER ROLLS* BIJ EEN HEEL KLEIN VIETNAMEES TENTJE. IK VIND DIT ZO *FANTASTISCH* LEKKER, DAT IK ZE ZELF OOK WILDE KUNNEN MAKEN. IK MAAK ER VAAK EEN STUK OF *DRIE* OM MEE TE NEMEN ALS LUNCH. HEERLIJK MET EEN *SPICY DIP!*

BEREIDINGSTIJD
30 MINUTEN

INGREDIËNTEN (8 STUKS)
VOOR DE ROLLS
- 1/4 KOMKOMMER
- 1 MIDDELGROTE WORTEL
- 100 G RIJSTVERMICELLI
- 8 BLADEREN IJSBERGSLA
- 4 BIOLOGISCHE EIEREN
- KOKOSOLIE, OM IN TE BAKKEN
- 8 RONDE RIJSTVELLEN
- HANDJE VERSE KORIANDER, FIJNGESNEDEN

VOOR DE DIP
- 1/2 RODE PEPER
- 3 EL BIOLOGISCHE SOJASAUS
- 2 TL AZIJN
- 1 TL HONING
- 2 EL WARM WATER

BEREIDING

Snijd de komkommer en wortel in kleine reepjes. Breng water aan de kook, doe de vermicelli in een kom en giet er zo veel kokend water over tot ze onder water staan. Laat 3 min. wellen. Haal ondertussen 8 bladeren van de ijsbergsla af en spoel ze schoon. Spoel de vermicelli af in een vergiet met koud water en laat uitlekken.

Bak in een koekenpan de geklutste eieren in 1 eetlepel kokosolie en laat afkoelen. Snijd de omelet in reepjes.

Snijd voor de dip de rode peper in kleine stukjes, eventueel zonder de zaadlijstjes, en mix deze samen met de rest van de ingrediënten voor de dip met een vork in een kommetje.

Dompel dan de rijstvellen een voor een in een grote kom met lauwwarm water. Schud droog en leg het zachte rijstpapier op een schone ondergrond (bijvoorbeeld een schone theedoek).

Leg een achtste deel van de ingrediënten op een helft van een rijstvel: eerst de fijngesneden koriander, dan slablad, eireepjes, vermicelli, wortel en tot slot de komkommer. Klap de rol dubbel en vouw de beide zijden naar binnen. Rol voorzichtig maar stevig op! Leg de *summer rolls* vervolgens op een mooi schaaltje en serveer ze met de dip, of doe ze in een trommeltje om mee te nemen.

COURGETTENOEDELS

SINDS IK EEN *spiraalsnijder* IN NEW YORK HEB GEKOCHT, ZIEN AL MIJN *salades* ERUIT OM DOOR EEN *ringetje* TE HALEN. HAI EN OOK VERVANG IK *deegpasta* VAAK DOOR LANGE GROENTESLIERTEN. DIT NOEDELGERECHT IS VEGA, *luchtig*, MAAR JE ZIT NA DE LUNCH WEL LEKKER *vol*.

BEREIDINGSTIJD
30 MINUTEN

INGREDIËNTEN (2 PERSONEN)
··· 1 RIJPE AVOCADO
··· 3 EL (ZELFGEMAAKTE) PESTO
··· 1 MESPUNTJE CAYENNEPEPER
··· 1 TL KERRIEPOEDER
··· 1 TEENTJE KNOFLOOK
··· 2 COURGETTES
··· 250 G (KASTANJE) CHAMPIGNONS
··· KOKOSOLIE, OM IN TE BAKKEN
··· 2 EL POMPOENPITTEN
··· 2 TL GEDROOGDE TIJM
··· KLEIN HANDJE (PLATTE) PETERSELIE
··· ZEEZOUT EN ZWARTE PEPER

BENODIGDHEDEN
SPIRAALSNIJDER

BEREIDING
Schil de avocado, snijd hem in stukjes en doe in een kommetje.
Voeg er vervolgens de pesto, cayennepeper, kerriepoeder en een uitgeknepen knoflookteentje aan toe. Prak dit tot een zachte romige massa.
Was de 2 courgettes en snijd ze met een spiraalsnijder in de lengte boven een grote kom tot noedels. Snijd de champignons in plakjes en bak ze in een koekenpan met kokosolie al omscheppend in 5 min. op hoog vuur tot ze mooi bruin zijn en het vocht verdampt is. Laat ze daarna afkoelen.
Roer de pesto-avocadosaus door de courgette, doe de champignons en de overige ingrediënten erbij en hussel alles door elkaar!

*Tip! Deze noedels kun je ook
op een broodje eten.*

SESAMCRACKERS *foto blz. 155*

DE *ingrediënten* VOOR DEZE CRACKERS HEB IK BIJNA ALTIJD WEL IN HUIS. *Lekker* ALS IK GEEN ZIN HEB OM DE DEUR UIT TE GAAN. IK MAAK DEZE CRACKERS IN VERSCHILLENDE *vormen*. ROND, VIERKANT... DAN ZIET JE *lunch* ER EXTRA *gezellig* UIT.

BEREIDINGSTIJD
30 MINUTEN

INGREDIËNTEN (CA. 10 GROTE RECHT-
HOEKIGE OF 15 À 20 KLEINERE RONDE)
··· 3 EL TAHIN (SESAMZAADPASTA)
··· 2 EIEREN
··· 3 SNUFJES ZEEZOUT
··· 5 EL BOEKWEITMEEL (EN WAT
    EXTRA VOOR HET UITROLLEN)
··· 2 TL WIJNSTEENBAKPOEDER
··· 1 EL GEBROKEN LIJNZAAD
··· 1 EL SESAMZAAD
··· SNUFJE KARDEMOMPOEDER
··· SNUFJE GEMBERPOEDER

BENODIGDHEDEN
DEEGROLLER

BEREIDING

Verwarm de oven voor op 180 °C. Doe de tahin, eieren, zeezout, meel, bakpoeder en lijnzaad in een kom en roer met een lepel totdat het deeg wordt. Doe het sesamzaad, kardemompoeder en het gemberpoeder erbij, kneed alles door elkaar en maak er een bal van. Als het deeg te nat is, kneed er dan nog wat meel door.
Bestuif de deegroller en het aanrecht met boekweitmeel. Rol het deeg voorzichtig alle kanten op dun uit (ca. 3 mm), zodat je straks mooi brosse crackers krijgt. Steek er rondjes uit, kwast ze met water en strooi er sesam en zout op. Druk dit licht aan en bak de crackers ca. 15 min. in de voorver-warmde oven.

Tip! Je kunt in plaats van gedroogde bonen ook biologische bonen in een pot kopen. 200 g gedroogde bonen staat gelijk aan circa 450 g gekookte bonen. Die hoeven alleen maar even in een zeef koud afgespoeld te worden.

BONENSALADE *foto blz. 152*

BONEN ZIJN *perfect* VOOR DE *vegi- en flexitarians* ONDER ONS. ZE *barsten* VAN DE PLANTAARDIGE EIWITTEN DIE JE LIJF GOED KAN GEBRUIKEN. DEZE SALADE IS *vullend*, ÜBERGEZOND EN *so delicious*. DE *rode pesto* KUN JE OOK HELEMAAL *zelf* MAKEN. JE VINDT HET RECEPT DAARVOOR OP *bladzijde 153*.

VOORBEREIDINGSTIJD
CA. 12 UUR.

BEREIDINGSTIJD
20 MINUTEN

INGREDIËNTEN (2 PERSONEN)
··· 200 G GEDROOGDE WITTE BONEN
··· 150 G TUINBONEN, GEDOPT
··· 1 TEENTJE KNOFLOOK
··· 4 EL ZONNEBLOEMPITTEN
··· 2 HANDJES RUCOLA
··· 1 EL OLIJFOLIE
··· 4 EL RODE PESTO (ZIE BLZ 153)
    OF GROENE PESTO
··· 1 LIMOEN

BEREIDING

Week de witte bonen minimaal 12 uur voor in ruim koud water. Kook ze vervolgens in ca. 1 uur gaar. Kook ondertussen ook de tuinbonen in 15 min. gaar. Laat beide boonsoorten vervolgens uitlekken en afkoelen in een vergiet (met een deksel erop, tegen uitdrogen). Schep ze daarna in een kom en pers het knoflookteentje erboven uit.

Voeg de andere ingrediënten, behalve de limoen, toe en hussel alles goed door elkaar. Snijd de limoen doormidden en knijp het sap uit over de salade.

Jump, and you will find out how to unfold your wings as you fall.

SPICY WRAPS

MEESTAL MAAK IK DEZE *veggielunch* IN HET *weekend*. IN NEW YORK WORDT HET MEESTAL *geserveerd* IN VOLKORENWRAPS, MAAR IK GEBRUIK LIEVER STEVIGE *slabladeren*. DIE MAKEN HET *frisser* EN LICHT *verteerbaar*.

BEREIDINGSTIJD
20 MINUTEN

INGREDIËNTEN (2 PERSONEN)
··· 1 KLEINE UI
··· 1 RODE PAPRIKA
··· 1 KLEINE COURGETTE
··· 200 G CHAMPIGNONS
··· KOKOSOLIE, OM IN TE BAKKEN
··· 2 EL TOMATENPUREE
··· 1 BIOLOGISCH UIENBOUILLONBLOKJE
··· 2 TEENTJES KNOFLOOK
··· 50 G ZOETE MAÏS, UIT POT
··· 150 G KIKKERERWTEN, UIT POT
··· 1 TL HONING
··· 1/2 TL KOMIJNPOEDER
··· 1/4 TL CAYENNEPEPER
··· 4 GROTE BLADEREN (IJSBERG)SLA

BEREIDING

Snijd de ui, paprika, courgette en champignons in kleine stukjes. Verhit 1 theelepel kokosolie in een koekenpan. Bak eerst de ui totdat deze glazig wordt en doe vervolgens de andere gesneden groenten erbij. Bak 5 min. en roer regelmatig.

Doe ondertussen 4 eetlepels water, de tomatenpuree en het bouillonblokje in een schaaltje, knijp de knoflookteentjes erboven uit en roer met een lepeltje goed door. Voeg het mengsel toe in de koekenpan en laat een paar minuten meebakken.

Voeg daarna de maïs, kikkererwten, honing en specerijen toe en laat op middelhoog vuur nog 5 min. sudderen. Haal de buitenste bladeren van de krop sla weg. Gebruik de 4 grootste bladeren, spoel deze goed af, dep droog en verdeel ze over 2 borden. Schep de vulling in het midden van de slabladeren en rol ze op. *Enjoy!*

recept blz. 118

KOMKOMMERSOEP

Komkommertijd HEET NATUURLIJK NIET VOOR NIETS ZO. IN NEDERLAND WORDEN HET HELE jaar DOOR KOMKOMMERS GEKWEEKT, MAAR HET OFFICIËLE SEIZOEN VOOR KOMKOMMERS IS DE zomer. DAN ZIJN ZE HET allerlekkerst. OP EEN WARME ZOMERDAG verfrist DIT KOELE SOEPJE EN HOUDT HET JE vochtgehalte OP PEIL.

BEREIDINGSTIJD
CA. 15 MINUTEN

INGREDIËNTEN (1 LITER)
··· 1 1/2 COURGETTE
··· 1 KOMKOMMER
··· 2 AVOCADO'S
··· 2 TEENTJES KNOFLOOK
··· 2 CITROENEN
··· 2 TL VERSGEMALEN ZWARTE PEPER
··· 2 SNUFJES ZEEZOUT
··· 2 EL EXTRA VIERGE OLIJFOLIE
··· 2 HANDJES VERSE (PLATTE)
    PETERSELIE
··· BEETJE CITROENSAP (VAN EEN
    BIOLOGISCHE CITROEN)
··· 2 HANDJES BLAADJES MAGGIKRUID

BENODIGDHEDEN
BLENDER

BEREIDING

Snijd de courgette, komkommer en avocado's in kleine stukjes en doe ze in de blender. Knijp de knoflookteentjes en de citroenen boven de blender uit (zorg dat de pitjes zijn verwijderd) en voeg zwarte peper, zeezout, olijfolie, peterselie en maggikruid toe. Mix alles tot een romig geheel en schenk er nog 400 ml water bij.

Serveer met enkele dunne plakjes komkommer, wat citroenrasp en een klein beetje maggikruid.

Relax, chill out
and unwind.

CHILL BREAD

DIT *brood* ZIT VOL *magnesium* EN DAT ONTSPANT JE *spieren*. JE LICHAAM RELAXT EN DAARDOOR OOK JE *brain*. MET DIT BROOD WORDT DE LUNCH DUS ÉCHT EEN CHILL MOMENTJE. *Sit back and relax*...

BEREIDINGSTIJD
1 UUR

INGREDIËNTEN
··· 1 TL KOKOSOLIE
··· 3 RIJPE BANANEN
··· 50 G ONTPITTE (MEDJOOL)DADELS
··· 3 EIEREN
··· 150 G SPELTMEEL
··· 2 TL WIJNSTEENBAKPOEDER
··· 2 EL GERASPTE KOKOS
··· 2 EL POMPOENPITTEN
··· 1 EL ZONNEBLOEMPITTEN
··· GROTE HAND WALNOTEN, GROFGEHAKT
··· 1 TL ZEEZOUT

BENODIGHEDEN
BLENDER
CAKEVORM 24 × 10 CM

BEREIDING

Verwarm de oven voor op 180 °C en vet de cakevorm in met de kokosolie. Doe 2 rijpe bananen met de dadels, eieren, het speltmeel en het bakpoeder in de blender en mix tot een zacht geheel. Schep het beslag in een kom en doe er kokos, pitten, walnoten en zeezout bij. Voeg dan de derde banaan, in kleine stukjes gesneden, eraan toe.
Roer alles goed door elkaar en schenk in de ingevette cakevorm. Zet deze in de voorverwarmde oven en wacht 45-50 min.

Tip! Houd nog
wat pompoenpitten,
zonnebloempitten of
walnoten achter om
het chill bread te
garneren nadat het
uit de oven komt.

GEROOSTERDE-BLOEMKOOLSOEP

MIJN NIEUWE *favoriete* SOEP VOOR DE WINTER! GEROOSTERDE BLOEMKOOL HEEFT EEN *geweldige* VOLLE SMAAK. HET *ideale* RECEPT VOOR EEN KOUDE WINTERDAG: DIKKE TRUI AAN, *grote* KOM SOEP OP JE SCHOOT EN *dippen* MET EEN *speltbroodje*.

᷈

BEREIDINGSTIJD
CA. 40 MINUTEN

INGREDIËNTEN (1,5 LITER)
··· 1/2 BLOEMKOOL, FIJNGESNEDEN
··· 3 TL KOKOSOLIE, GESMOLTEN
··· 1/4 TL CAYENNEPEPER
··· ZEEZOUT
··· ZWARTE PEPER
··· 1 MIDDELGROTE UI
··· 2 TEENTJES KNOFLOOK
··· 1 MIDDELGROTE ZOETE AARDAPPEL
··· 400 ML KOKOSMELK
··· 50 G BABYSPINAZIE
··· 1 HANDJE (PLATTE) PETERSELIE, FIJNGESNEDEN
··· 1 BIOLOGISCH BOUILLONBLOKJE
··· 1 HANDJE FETA (OPTIONEEL)

BENODIGDHEDEN
BAKPAPIER
STAAFMIXER OF BLENDER

BEREIDING

Verwarm de oven voor op 220 °C. Doe de fijngesneden bloemkool in een kom met 2 theelepels kokosolie. Hussel goed door elkaar. Bestrooi met cayennepeper, zeezout en zwarte peper en roer nogmaals door elkaar en leg dan op een met bakpapier beklede bakplaat. Rooster de bloemkoolstukjes 20 min. in de voorverwarmde oven tot ze goudbruin zijn. Snipper ondertussen de ui en knoflook en snijd de zoete aardappel in blokjes. Pak een soeppan en bak hierin de uisnippers met een theelepel kokosolie tot ze glazig zijn. Bak daarna de knoflook een halve minuut mee, maar pas op dat die niet bruin wordt. Doe dan 1 liter water, de kokosmelk en de zoete aardappelblokjes erbij en breng aan de kook. Voeg de geroosterde bloemkool er na 20 min. aan toe, maar houd 2 eetlepels achter voor garnering. Maak de spinazie schoon en voeg toe aan de soep. Draai het vuur uit zodra de aardappel gaar is en pureer de soep met de staafmixer of mix de soep fijn in de blender. Breng de soep op smaak met wat extra zout en peper, het bouillonblokje en garneer met peterselie en de achtergehouden geroosterde bloemkool. En kruimel er eventueel wat feta overheen.

BONEN

Deze peulvrucht wordt over de hele
wereld gegeten. Wij zien het echt als
Hollandse kost. Maar in New York eet ik
ook veel bonen, vaak in een Mexicaans
gerecht. Je kunt ze gedroogd, in pot of
in blik kopen. Al zijn ze vers van het
Hollandse land het allerlekkerst. Bonen
zijn niet duur, bevatten een hoop eiwitten en hebben een laag glycemische
index, dus je bloedsuikerspiegel blijft
stabiel. Een heerlijke bron van energie.
I love beans!

Tip! Ook lekker
met guacamole
in plaats van
de saus.

TORTILLA'S

Sil NEW YORKERS ETEN VEEL *Mexicaans*. OP ELKE *straathoek* KUN JE HEERLIJKE KLEINE TORTILLA'S MET BONEN EN TOMATENSAUS HALEN. TUSSEN MIJN AFSPRAKEN DOOR IS DAT VAAK EEN GOEDE *lunchoptie*. ZO LEKKER! DEZE TORTILLA'S ZIJN *super easy* ZELF TE MAKEN EN HEERLIJK OM MEE TE *nemen*.

꿍

BEREIDINGSTIJD
35 MINUTEN

INGREDIËNTEN (6 GROTE TORTILLA'S)
··· 180 G RIJSTMEEL
··· 1 TL WIJNSTEENBAKPOEDER
··· SNUFJE HIMALAYAZOUT
··· 70 G ARROWROOT (TAPIOCAZETMEEL)
··· 3 EL PSYLLIUMVEZELS
··· 150 ML WARM WATER OF IETSJE MEER
··· 1 EL KOKOSOLIE, GESMOLTEN

BENODIGDHEDEN
DEEGROLLER
BAKPAPIER

VOOR DE VULLING
··· 450 G GEDROOGDE ZWARTE BONEN
   OF KIDNEYBONEN, OF 850 G
   GEKOOKTE BONEN UIT POT
··· 2 MIDDELGROTE ZOETE AARDAPPELEN
··· 3 EL KOKOSOLIE, OM IN TE BAKKEN
··· 2 GROTE AVOCADO'S
··· 1 RODE PAPRIKA
··· 3 LENTE-UITJES
··· HANDJE VERSE KORIANDER
··· 1/2 TL CHILIPOEDER
··· ZEEZOUT EN ZWARTE PEPER
··· 1 KLEINE JALAPEÑOPEPER
··· 6 EL TOMATENPUREE

VOOR DE TORTILLASAUS
··· 2 AVOCADO'S
··· 2 LIMOENEN
··· 1 TEENTJE KNOFLOOK
··· 4 EL GEITENROOMKAAS
··· 4 TL (RAUWE) HONING
··· ZEEZOUT EN ZWARTE PEPER
··· 3 EL OLIJFOLIE, EXTRA VIERGE

BENODIGDHEDEN
STAAFMIXER

BEREIDING

Doe rijstmeel, bakpoeder, zout, arrowroot en psylliumvezels in een ruime kom. Schenk de kokosolie samen met het warme water beetje bij beetje bij het meel. Als het deeg korrelig blijft, doe er een klein beetje water bij. Kneed alles tot een grote deegbal. Laat 5 min. rusten zodat de vezels het vocht goed kunnen absorberen.

Maak er vervolgens zes gelijke balletjes van. Maak je handen een beetje vochtig met warm water, pak een balletje en kneed nog even. Leg het deegballetje dan tussen twee vellen bakpapier en rol het met een deegroller zo plat mogelijk. Haal het bovenste vel papier eraf en snijd eventueel met een mesje de tortilla in vorm. Verwarm een koekenpan en bak de tortilla aan beide zijden goudbruin en bubbelig. Bak de andere deegballetjes op dezelfde wijze.

Leg tussen de gebakken tortilla's laagjes keukenpapier of schone theedoeken, zodat ze vochtig, soepel en warm blijven.

BEREIDING

Als je bonen zelf wilt bereiden, wat gezonder is, dan moet je ze eerst in een pan water met deksel 8 tot 24 uur laten staan en vervolgens in een uurtje in vers water gaarkoken. Laat de bonen afkoelen. Maak ondertussen de zoete aardappel schoon en snijd in kleine blokjes. Verhit 3 el kokosolie in een koekenpan en bak de aardappelblokjes gaar en goudbruin. Laat ze uitlekken in een vergiet met een vel keukenpapier en afkoelen.

Halveer de avocado's, verwijder de pit en snijd het vruchtvlees in blokjes. Was de rode paprika en snijd ook in blokjes. Snijd de lente-uitjes in ringen en snijd de koriander grof in een kom, voeg het avocado-mengsel toe, de afgekoelde aardappelblokjes en bonen en breng alles op smaak met chilipoeder, zout en zwarte peper.

Snijd de jalapeño in kleine stukjes en rooster heel even in de koekenpan. Voeg toe aan de vulling en roer voorzichtig met een houten lepel door. Maak de tortillasaus door de avocado's met een lepel uit te hollen en in een kommetje te doen. Snijd de limoenen in tweeën, haal het velletje van het teentje knoflook en knijp limoenen en knoflook over de avocado's uit. Voeg de rest van de ingrediënten toe en mix alles met een staafmixer tot een romig geheel.

Verwarm de tortilla's eventueel nog even en besmeer vervolgens elke tortilla met 1 el tomatenpuree. Verdeel de vulling erover, lepel er wat saus over en eventueel nog wat geraspte geitenkaas. *Buen provecho!*

GAZPACHO

DIT *Spaanse* KOUDE SOEPJE WORDT IN NEW YORK VAAK ALS *voorgerecht* GESERVEERD, MAAR IK VIND HET ZÓ *freaking* LEKKER DAT IK ER MET GEMAK EEN GROTE *kom* VAN WEGSLURP. OOK LEUK OM TE SERVEREN ALS APERITIEF ALS JE EEN ETENTJE *organiseert*. IN MOOIE LANGE *glazen* ZIET HET ER *supertof* UIT. *Buen provecho!*

BEREIDINGSTIJD
⋯ 15 MINUTEN

INGREDIËNTEN (CA. 500 ML)
⋯ 7 RIJPE TOMATEN
⋯ 1 RODE PAPRIKA
⋯ KOKOSOLIE, OM IN TE BAKKEN
⋯ 1/2 KOMKOMMER
⋯ 1 HANDJE VERSE (PLATTE) PETERSELIE
⋯ 1 EL VERSE TIJM
⋯ 3 TEENTJES KNOFLOOK
⋯ 1 BIOLOGISCH GROENTEBOUILLONBLOKJE
⋯ 2 ZUURDESEM-SPELTBOTERHAMMEN
⋯ 2 EL BALSAMICOAZIJN
⋯ 2 EL OLIJFOLIE
⋯ 1/2 RODE PEPER

BENODIGDHEDEN
BLENDER

BEREIDING

Snijd zes tomaten en de paprika in kleine stukjes. Verhit een pan met een theelepel kokosolie en bak de tomaten en paprika een aantal minuten. Roer totdat de tomaten zacht beginnen te worden en het vocht eruit komt. Doe dit samen met de overige ingrediënten (ja, ook de sneetjes brood) in de blender. En mix het tot een heerlijk koud soepje. Je kunt nog een tomaat in stukjes snijden als garnering.

*Nice to know!
Door verhitting
van de tomaat en
paprika komt
het stofje lycopeen
vrij. Goed voor
je huid!*

Sail away with me...

recept blz. 159

Tip! Neem dressing altijd in een apart bakje mee. Zo voorkom je dat je salade doordrenkt is.

SWEET CHICKEN SALAD

MET DEZE SALADE STEEL JE DE *show* TIJDENS EEN *picknick* MET VRIENDEN OF DE LUNCH OP JE WERK. DE ZELFGEMAAKTE *sweet honey dressing* MAAKT HET HELEMAAL AF. JE VINDT HET RECEPT DAARVOOR OP *blz. 159.*

BEREIDINGSTIJD
30 MINUTEN

INGREDIËNTEN (2 PERSONEN)
⋯ 300 G BIOLOGISCHE KIPFILET
⋯ 1 TL GEELWORTELPOEDER
   (KURKUMA)
⋯ 2 TL KERRIEPOEDER
⋯ SNUFJE ZEEZOUT EN ZWARTE
   PEPER
⋯ 1 TL KNOFLOOKPOEDER
⋯ 2 MIDDELGROTE ZOETE
   AARDAPPELEN
⋯ 250 G SPERZIEBONEN
⋯ KOKOSOLIE, OM IN TE BAKKEN

BEREIDING

Spoel de kipfilets schoon en snijd in blokjes. Doe de blokjes in een kom, bestrooi ze met geelwortelpoeder, kerriepoeder, zeezout, zwarte peper en knoflook en laat 10 min. marineren.
Schil ondertussen de zoete aardappel. Kook de (zoete) aardappel en de sperziebonen in water, elk in een eigen pan, gaar. Bak de kip met een theelepel kokosolie op laag vuur gaar. Doe daarna alles in een grote schaal en laat afkoelen. Heerlijk om mee te nemen in een lunchbakje of als avondsalade. En vergeet de dressing er niet overheen te doen!

HOLLANDSE GROENTESOEP

DEZE SOEP IS O ZO *makkelijk* TE MAKEN. SNIJD DE *groenten*, GOOI IN EEN PAN MET *water*, KRUIDEN ERBIJ EN *tadaa...* DE ALLERLEKKERSTE *Hollandse* GROENTESOEP *ever!*

BEREIDINGSTIJD
CA. 35 MINUTEN

INGREDIËNTEN (CA. 1,5 LITER)
··· 2 BIOLOGISCHE GROENTEBOUILLON-
   BLOKJES
··· 1 MIDDELGROTE ZOETE AARDAPPEL
··· 1 RODE UI
··· 3 TEENTJES KNOFLOOK
··· 1 RODE PAPRIKA
··· 4 MIDDELGROTE WORTELS
··· 1/2 COURGETTE
··· 1/2 BROCCOLI
··· 1/2 KLEINE PREI
··· 2 EL TAMARI (JAPANSE
   GLUTENVRIJE SOJASAUS)
··· 1 TL FIJNE MOSTERD
··· 1 TL GEELWORTELPOEDER
   (KURKUMA)
··· 1 TL GEMBERPOEDER
··· SNUFJE ZWARTE PEPER
··· MESPUNTJE CAYENNEPEPER

BEREIDING

Vul de soeppan met 1 liter water, doe er twee bouillonblokjes bij en breng aan de kook. Spoel de zoete aardappel goed schoon en rasp hem fijn mét schil. Maak daarna de rest van de groenten schoon, pers de teentjes knoflook boven de soep uit en snijd de paprika, wortels, courgette, broccoli en prei in kleine stukjes.

Zodra de bouillon kookt, voeg je alle ingrediënten toe. Laat de soep 20 min. rustig doorkoken, roer af en toe *and it's ready!*

Diner

Your belly rules your mind

Vaak zijn we na een drukke dag te moe om nog een complete maaltijd in elkaar te draaien. En meestal heb je zo veel trek, dat je de makkelijkste weg kiest. Maar het is o zo belangrijk dat je van elk diner een feestje maakt. Of je nou met vrienden en familie eet, of lekker in je uppie. Verwen jezelf elke avond met een goed maal. Mag best!

Tip! Te veel gemaakt? Vries het in, heerlijk als je na een drukke werkdag een keer geen zin hebt om je uit te sloven.

INDIASE LINZENSOEP

IN NEW YORK HEB JE EEN *straat* MET ALLEEN MAAR INDIASE *restaurantjes*. HEEL GEZELLIG! ALS IK IN DE STAD BEN, *kies* IK ER EEN UIT EN BESTEL HET LIEFST EEN *vullende* INDIASE LINZENSOEP. IK HEB DIT SOEPJE DAAROP GEBASEERD. MET LINZEN, ZOETE *aardappel* EN AL DIE GEURIGE *kruiden* IS DE SOEP EXTRA *gezond*.

BEREIDINGSTIJD
CA. 35 MINUTEN

INGREDIËNTEN (CA. 2 LITER)
··· 1 MIDDELGROTE RODE UI
··· 2 TEENTJES KNOFLOOK
··· 1/2 EL KOKOSOLIE, OM IN TE BAKKEN
··· 1/2 TL LAOSPOEDER
··· 1/2 TL KARDEMOMPOEDER
··· 1/2 TL KERRIEPOEDER
··· 1 TL GEELWORTELPOEDER (KURKUMA)
··· 1 TL KORIANDERPOEDER (KETOEMBAR)
··· 1 TL KOMIJNPOEDER (DJINTEN)
··· MESPUNTJE CAYENNEPEPER
··· 2 BIOLOGISCHE GROENTEBOUILLONBLOKJES
··· 180 G RODE LINZEN
··· 2 MIDDELGROTE ZOETE AARDAPPELEN
··· 3 MIDDELGROTE WINTERWORTELS

BEREIDING

Snipper de rode ui en de knoflook. Bak eerst de ui een minuutje met de kokosolie in een soeppan. Doe dan alle specerijen en de knoflook erbij en bak 2 minuutjes mee. Giet er 1,5 liter water bij, voeg de bouillonblokjes toe en breng aan de kook. Spoel de linzen in een zeef onder koud water af en voeg ze aan het kokende bouillonwater toe.

Rasp vervolgens één zoete aardappel. Snijd de andere zoete aardappel en de wortels in kleine blokjes en de lente-ui in ringetjes. Als de linzen 5 minuten hebben gekookt, kunnen de groenten erbij. Kook alles in circa 15 min. gaar. Laat de soep hierna nog 10 min. op laag vuur pruttelen. Garneer eventueel met wat extra ringetjes lente-ui.

KIP MASALA

BIJ EEN *Surinaamse* FAMILIE IN *Friesland* LEERDE IK DIT HINDOESTAANSE GERECHT ETEN. HET IS MEESTAL EEN *bijgerecht* BIJ ROTI, MAAR IK HEB ER EEN COMPLETE *avondmaaltijd* VAN GEMAAKT MET COUSCOUS. *Switi!*

BEREIDINGSTIJD
CA. 45 MINUTEN

INGREDIËNTEN (CA. 3 PERSONEN)
- 3 TEENTJES KNOFLOOK
- 2 RODE UIEN
- 7-8 BIOLOGISCHE KIPPENVLEUGELS
- 4 TL KERRIEPOEDER
- 2 TL LAOSPOEDER
- 2 TL KARDEMOMPOEDER
- 2 TL GEELWORTELPOEDER (KURKUMA)
- 2 EL OLIJFOLIE
- SNUFJE ZEEZOUT EN ZWARTE PEPER
- 300 G HARICOTS VERTS
- 3 MIDDELGROTE ZOETE AARDAPPELEN
- 1 TL (GELE) SAMBAL
- 2 EL TOMATENPUREE
- 5 EL KOKOSMELK
- 250 G BIOLOGISCHE VOLKOREN COUSCOUS

BEREIDING

Snijd de knoflookteentjes en de uien in kleine stukjes. Bestrooi de kippenvleugels met kerrie-, laos-, kardemom- en geelwortelpoeder. Doe de olijfolie, zout en peper in een kom en doe vervolgens de knoflook en uien erbij. Leg de kippenvleugels in deze marinade en laat de kruiden 10 min. goed inwerken. Maak in de tussentijd de haricots verts schoon en kook ze in een pannetje met water beetgaar.

Bak de gemarineerde kippenvleugels in een grote braadpan op hoog vuur in 5 min. rondom bruin. Schep regelmatig goed door waarmee je voorkomt dat de uien en knoflook verbranden.

Snijd de zoete aardappelen in stukjes en voeg ze bij de kip. Doe de sambal, tomatenpuree en kokosmelk erbij, roer goed door en schenk er vervolgens water bij totdat alles net onder water staat. Laat de masala minimaal 30 min. op laag vuur sudderen en roer regelmatig. Doe de couscous in een kom, overgiet met 350 ml kokend water, voeg een snuf zout toe en laat 5 min. wellen

Meng voor het serveren de haricots verts door de masala en serveer het gerecht in kommen met een lekkere schep couscous erbij.

Tip! Als je dit gerecht liever glutenvrij eet, vervang dan de couscous door quinoa of linzen.

recept blz. 158

Tip! Ook lekker met een glutenvrije pannenkoekwrap.

FALAFEL

MEESTAL WORDT FALAFEL GEGETEN IN EEN *pitabroodje* MET SAUS EN SALADE. MAAR MET EEN *spitskool*- OF *ijsbergslawrap* KAN HET NET ZO GOED. DE SPECERIJEN MAKEN HET LEKKER *pittig*. DE *tahin*-CITROENDRESSING KUN JE OOK ZELF MAKEN EN HET RECEPT DAARVOOR VIND JE OP *bladzijde 158*.

BEREIDINGSTIJD
40 MINUTEN

INGREDIËNTEN
(2 PERSONEN, CA. 18 BALLETJES)
- 1 KLEINE UI
- 1 GROTE TEEN KNOFLOOK
- 240 G GEKOOKTE KIKKERERWTEN, UIT POT (OF 130 G GEDROOGDE)
- 3 EL CITROENSAP
- 4 EL GLUTENVRIJ MEEL, BIJVOORBEELD KIKKERERWTEN-, QUINOA- OF BOEKWEITMEEL
- 1 TL KORIANDERPOEDER OF 2 TL GEHAKTE VERSE KORIANDER
- 2 TL GEELWORTELPOEDER (KURKUMA)
- 2 TL KOMIJNPOEDER
- 1/2 TL KERRIEPOEDER
- 1 TL WIJNSTEENBAKPOEDER
- 1/2 TL CAYENNEPEPER
- 1 TL HIMALAYA- OF ZEEZOUT
- 1/2 TL ZWARTE PEPER
- 1 EI
- 4 EL KOKOSOLIE, OM IN TE BAKKEN
- 4 GROTE BLADEREN VAN EEN SPITSKOOL
- IJSBERGSLA, RUCOLA EN TOMAATJES

BENODIGDHEDEN
KEUKENMACHINE, STAAFMIXER OF BLENDER

BEREIDING

Als je gedroogde kikkererwten gebruikt (wat natuurlijk het lekkerst is), week dan 130 g gedroogde erwten minimaal 16 uur.

Maak de ui en knoflook schoon en snipper grof. Laat de kikkererwten uitlekken. Meng alle ingrediënten – behalve de kokosolie en de kool – in de keukenmachine (blender of staafmixer) tot een dikke, grove pasta. Schep dit in een schaal. Het moet dik genoeg zijn om er stevige balletjes van te maken. Als de pasta te vochtig is, voeg dan wat extra meel toe en meng opnieuw. Maak je handen nat, en draai ongeveer 18 falafelballetjes.

Verwarm een grote koekenpan en laat de kokosolie erin smelten. Voeg de balletjes één voor één toe. Bak ze op laag vuur ongeveer 5 min. of totdat ze knapperig en gekleurd zijn. Draai ze om met een tang en bak ook de andere kant. Laat ze vervolgens een minuutje uitlekken in een zeef. Je kunt er een schaaltje onder zetten, zodat je de kokosolie opnieuw kunt gebruiken. Maak de dressing, zie pag 158.

Spoel de koolbladeren schoon. Dep ze droog met keukenpapier en vul ze eventueel eerst met wat gesneden ijsbergsla, rucola en tomaatjes en verdeel er de overheerlijke falafelballetjes over. Druppel de dressing over het gerecht en geniet! Heerlijk om uit het vuistje te eten. Ook handig voor *to go* maar neem de dressing dan apart mee.

POMPOEN-QUINOACURRY *foto blz. 162*

IK BEN *gek* OP CURRY'S, VOORAL VANWEGE DE OOSTERSE *smaken* EN *geuren*... DIT RECEPT IS *perfect* ALS JE EEN GROTE *groep* ETERS OVER DE VLOER KRIJGT. IK LAAT BIJNA AL MIJN GERECHTEN AAN MIJN VRIENDEN, *familie* EN *boyfriend* PROEVEN. VOOR DIT RECEPT HAD IK IEDEREEN UITGENODIGD EN ZE KONDEN *serieus* NIET STOPPEN MET ETEN. *Definitely approved!*

BEREIDINGSTIJD
45 MINUTEN

INGREDIËNTEN (4 PERSONEN)
- 150 G QUINOA
- 2 BIOLOGISCHE GROENTE-BOUILLONBLOKJES
- 2 KLEINE FLESPOMPOENEN (CA. 900 G)
- 1/2 AUBERGINE
- 1 GROENE PAPRIKA
- 2 RODE UIEN
- 200 G CHAMPIGNONS
- 1 EL KOKOSOLIE, OM IN TE BAKKEN
- 400 ML KOKOSMELK
- 8 EL CURRYPASTA (ZIE BLZ 163)
- 2 HANDJES VERSE (BLAD)PETERSELIE
- 2 HANDJES VERSE KORIANDER
- 1 LIMOEN

BEREIDING

Kook de quinoa in 10 min. in ruim kokend water gaar met de bouillonblokjes, giet af en laat dan nog 10 min. staan.

Maak ondertussen de pompoen, aubergine, paprika, ui en champignons schoon en snijd in kleine stukjes. Je kunt de schil van de pompoen eraan laten zitten. Bak alle groenten met 1 eetlepel kokosolie in een wok of diepe koekenpan op hoog vuur. Begin met de pompoen en aubergine en voeg dan de rest toe. Voeg na 10 min. 50 ml water, de currypasta en kokosmelk toe.

Laat sudderen tot de pompoen zacht is. Voeg als het te droog wordt een extra scheutje water toe.

Snijd de peterselie en koriander fijn en roer door het gerecht.

Schep de curry in diepe borden, schep de quinoa erin en besprenkel met wat limoensap.

THAISE SALADE *foto blz. 165*

I love Thai food! HET LIEFST MAAK IK ZELF EEN HELE *tafel* VOL THAISE GERECHTJES. DEZE SALADE IS FAVORIET. ALS IK 'M KLAARMAAK *voelt* HET BIJNA ALSOF IK WEER EVEN IN HET *land* BEN. AAN HET *strand*, ONDER EEN *palmboom*. KOMT OOK DOORDAT HET ER MET BEHULP VAN EEN SPIRAALSNIJDER ZO *exotisch* UITZIET.

BEREIDINGSTIJD
30 MINUTEN

INGREDIËNTEN (2 PERSONEN)
··· 2 EL OLIJFOLIE
··· 1 TL MOSTERD
··· 1/2 TL KANEELPOEDER
··· 1 TL PAPRIKAPOEDER
··· 1 TL KERRIEPOEDER
··· 300 G BIOLOGISCHE KIPFILET
··· 2 MIDDELGROTE WORTELS
··· 2 COURGETTES
··· 1 RODE PAPRIKA
··· 1 KLEINE RODE UI
··· 3 EL ONGEBRANDE AMANDELEN
··· 1 TL SESAMZAAD
··· ZEEZOUT
··· KOKOSOLIE, OM IN TE BAKKEN

BENODIGDHEDEN
SPIRAALSNIJDER
STAAFMIXER

BEREIDING

Meng olijfolie, mosterd, kaneel, paprika- en kerriepoeder in een kom voor de marinade. Spoel de kipfilet schoon, en wentel door de marinade. Laat de marinade minimaal 15 min. intrekken.

Maak vervolgens met de spiraalsnijder van de wortel en courgettes mooie lange slierten. (Als je geen spiraalsnijder hebt, kun je heel dunne slierten snijden met een mes.)

Snijd de rode paprika in reepjes en de rode ui in heel dunne ringen en doe alle groenten in een kom. Rooster de amandelen (zonder olie) in een pannetje donkerbruin en knapperig en bestrooi ze met wat zeezout. Doe ze samen met het sesamzaad bij de salade. Hussel alles goed door elkaar! Bak daarna de (gemarineerde) kipfilet met een beetje kokosolie op een laag vuurtje gaar. Draai af en toe om.

Maak de dressing volgens het recept op blz 164.

Snijd vervolgens de gare kip in lange stukken, leg deze op de salade en giet er wat van de dressing over.

Tip! Je kunt de tofu ook vervangen door biologische kip.

PAD THAI

GEBASEERD OP HET ORGINELE *Thaise* GERECHT, ALLEEN MAAK IK HET MET MEER *groente* DAN NOEDELS. JE SNIJDT DE GROENTEN, KOOKT DE NOEDELS, ROERBAKT... *Makkelijker* WORDT HET NIET!

BEREIDINGSTIJD
CA. 30 MINUTEN

INGREDIËNTEN (2 PERSONEN)
- 80 G BRUINE RIJSTNOEDELS
- 1/2 RODE KOOL (120 G)
- 1 RODE PAPRIKA
- 80 G CHAMPIGNONS
- 1 KLEINE WINTERWORTEL (70 G)
- 200 G BIOLOGISCHE TOFU
- 1 RODE UI
- 2 TEENTJES KNOFLOOK
- KOKOSOLIE, OM MEE TE BAKKEN
- 1/2 TL GEMBERPOEDER
- 1/2 TL GEELWORTELPOEDER (KURKUMA)
- 2 TL BIOLOGISCH BOUILLONPOEDER
- 1/2 LIMOEN
- 2 EL (ZELFGEMAAKTE) NOTENPASTA
- 1 EL BIOLOGISCHE SOJASAUS
- 1 TL HONING
- 1 HANDJE VERSE KORIANDER
- 1 HANDJE TAUGÉ
- 1 EL ONGEBRANDE CASHEWNOTEN
- 1 EL SESAMZAAD

BENODIGDHEDEN
VERGIET
SPIRAALSNIJDER

BEREIDING

Breng voor de noedels een pan met water aan de kook. Kook de noedels in ca. 5 min. net gaar. Giet af in een vergiet, spoel af met koud water en laat de noedels uitlekken.

Snijd ondertussen de kool in dunne reepjes, de paprika en champignons in stukjes en maak met de spiraalsnijder spaghetti van de wortel. Snijd de tofu in blokjes.

Snipper de ui en knoflook. Bak in een grote koekenpan met een grote theelepel kokosolie de ui glazig en bak daarna knoflook, gember- en geelwortelpoeder even mee tot de heerlijke geuren vrijkomen. Voeg de tofublokjes samen met 2 afgestreken theelepels bouillonpoeder toe aan de ui en knoflook. Meng goed en draai dan het vuur laag. Bak het mengsel ca. 5 min. zachtjes, en maak ondertussen de dressing.

Knijp hiervoor een halve limoen uit boven een schaaltje en roer er vervolgens de notenpasta, sojasaus, honing en 1 eetlepel water door.

Draai het vuur onder de koekenpan weer hoger en roerbak de koolreepjes, paprika, champignons en wortelspaghetti 10 min. mee met de gekruide ui en tofu.

Snijd de koriander grof en voeg de gekookte noedels, taugé, noten en sesamzaad bij de groenten in de pan. Roerbak het gerecht nog 3 min. Breng eventueel op smaak met wat zeezout en zwarte peper.

Doe per persoon 3 theelepels dressing over je pad Thai.

Power
food

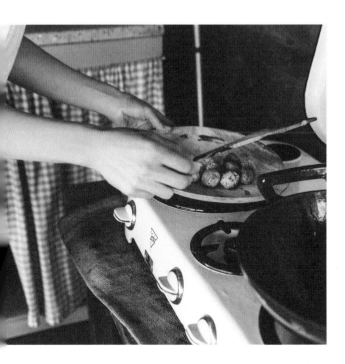

Home made with love. In other words: I licked the spoon and kept using it.

POMPOENBOOTJES

DEZE SCHATTIGE *flespompoentjes* VIND JE GEWOON OP DE *markt!* IK BEN EEN BEETJE GAAN EXPERIMENTEREN EN HEB ER DEZE GOED GEVULDE BOOTJES MET *kabeljauw* VAN GEMAAKT. *Looks cute, huh? Kids love it!*

∽

BEREIDINGSTIJD
CA. 45 MINUTEN

INGREDIËNTEN (4 PERSONEN)
- 75 G BASMATIRIJST, VOLKOREN
- 2 KLEINE FLESPOMPOENEN
- 1 1/2 EL KOKOSOLIE, OM IN TE VETTEN EN OM TE BAKKEN, GESMOLTEN
- 2 KABELJAUWFILETS (CA. 250 G))
- 1 TL KERRIEPOEDER
- SNUFJE ZEEZOUT EN ZWARTE PEPER
- 1 GROTE (RODE) UI
- 2 TEENTJES KNOFLOOK
- 1 KLEINE COURGETTE
- 1 GELE PAPRIKA
- 1/2 RODE PEPER
- 1/2 TL KOMIJNPOEDER
- 1/2 TL GEELWORTELPOEDER (KURKUMA)
- 1 TL KORIANDERPOEDER (KETOEMBAR)
- 1 EL TAMARI (JAPANSE GLUTEN-VRIJE SOJASAUS)
- HANDJE (PLATTE) BLADPETERSELIE, GESNEDEN

BEREIDING

Verwarm de oven voor op 180 °C. Spoel de rijst schoon en kook die volgens de aanwijzingen op de verpakking. Was de pompoenen, snijd doormidden (schil ze niet!) en schep de pitten er met een lepel uit. Vet de binnen- en buitenkant van de pompoenhelften in met 2 theelepels kokosolie en rooster ze ca. 40 min. in de oven.

Spoel de vis schoon en leg deze op een bord. Marineer de vis met kerriepoeder, 1 theelepel kokosolie, een snufje zeezout en peper. Maak de uien, knoflook, courgette, paprika en rode peper schoon en snijd alles in kleine stukjes.

Verhit een koekenpan met 1 theelepel kokosolie en bak eerst de uien glazig. Leg de gemarineerde vis erbij, en bak deze 3 min. mee. Voeg daarna de gesneden groenten en de rest van de ingrediënten toe, behalve de bladpeterselie. Roer het nogmaals goed door elkaar en bak alles 3 min. op middelhoog vuur.

Haal de pompoenhelften uit de oven als ze zacht zijn, laat ze anders nog wat langer in de oven. Lepel het grootste deel van de binnenkant van de pompoen uit, maar zorg dat er nog ca. 1 cm rand overblijft. Meng het vruchtvlees uit de pompoen met het vismengsel en de gekookte rijst in een schaal. Schep het mengsel in de uitgeholde pompoenhelften en garneer met de peterselie.

GOYA

Ook wel bekend als sopropo of bittermeloen. Deze groente is een soort
combinatie van komkommer en onrijpe
meloen. Japanners verwerken het
vaak in hun champuru. De smaak is
behoorlijk bitter, maar daar raak je gauw
aan gewend. En daarna ben je *hooked*.
Zeker als je weet dat het *hyper healthy*
is. Het stimuleert de stofwisseling,
houdt je bloedsuikerspiegel op peil en
het bevat een flinke dosis foliumzuur,
vitamine A, B en C. Goya wordt verkocht
in Nederlandse toko's. *Namasté!*

CHAMPURU

DIT *Japanse* WOORD BETEKENT LETTERLIJK *mix*. IEDEREEN IN JAPAN HEEFT ZIJN EIGEN *speciale* CHAMPURURECEPT MET EEN EIGEN MIX VAN INGREDIËNTEN. EN DIT IS MIJN *variant*. UITERAARD *superhealthy*, MET DE *geweldige* GROENTE GOYA. *Namasté!*

BEREIDINGSTIJD
30 MINUTEN

INGREDIËNTEN (3 À 4 PERSONEN)
··· 300 G ZALMFILET
··· ZEEZOUT
··· ZWARTE PEPER
··· 1 TL KERRIEPOEDER
··· 1 TEENTJE KNOFLOOK
··· 1/2 CITROEN
··· 1 MIDDELGROTE GOYA (OOK WEL BITTERMELOEN OF SOPROPO GENAAMD)
··· 1 MIDDELGROTE UI
··· 250 G BIOLOGISCHE TOFU, NATUREL
··· 100 G SHIITAKE
··· 1 KLEINE WINTERWORTEL
··· 2 EIEREN
··· 2 EL ZOETE BIOLOGISCHE SOJASAUS
··· HANDJE TAUGÉ
··· 1 TL HETE SAUS (OPTIONEEL)
··· KOKOSOLIE, OM IN TE BAKKEN

BENODIGDHEDEN
2 KOEKENPANNEN,
RASP

BEREIDING

Snijd de zalmfilet in stukjes. Marineer de vis in een kom met een snufje zout, zwarte peper, kerriepoeder, knoflook en sap van een halve citroen. Laat de marinade intrekken.

Snijd ondertussen de goya in de lengte doormidden en schraap de kern met zaden er met een lepel uit. Spoel beide helften schoon onder de kraan en snijd in blokjes. Bestrooi de blokjes met wat zeezout en laat dit even intrekken, zo minder je de bittere smaak van de goya.

Snijd vervolgens de ui, tofu en shiitake in stukjes en rasp de wortel in lange slierten. Bak de tofu met wat kokosolie in een kleine koekenpan goudbruin.

Klop 2 eieren los met 2 el sojasaus. Zet een grote koekenpan op hoog vuur en bak de uien en zalm 2 min. Voeg daarna de goya, tofu en alle groenten toe, behalve de taugé. Roerbak 2 min. en schenk dan het geklopte ei erbij. Roerbak nog 5 min. en schep daarna de taugé erdoor. Verdeel over 3 à 4 borden en serveer. Lekker met wat hete saus.

Tip! Ook leuk
om doormidden
te snijden en
als snack aan
te bieden op
een feestje.

BURGERS

Yum! AMERIKAANSER WORDT HET NIET... EN ZE ZIJN ER IN ALLE *soorten* EN MATEN. VEGABURGERS, VEGANBURGERS, VISBURGERS, *cheeseburgers*. SOMS HEB IK ER ZO'N *trek* IN, TÉ LEKKER EN *makkelijk!* UITERAARD BEN IK OP ZOEK GEGAAN NAAR DE MEEST *healthy* VARIANT EN DEZE KOMT DAAR BEHOORLIJK BIJ IN DE BUURT. KOMT *geen* VLEES EN *brood* AAN TE PAS!

BEREIDINGSTIJD
CA. 40 MINUTEN

INGREDIËNTEN (8 GROTE BURGERS)
··· 125 G QUINOA
··· 1 BIOLOGISCH GROENTEBOUILLON-
    BLOKJE
··· 1 KLEINE UI
··· 2 TEENTJES KNOFLOOK
··· 1 RODE PEPER
··· 3 LENTE-UITJES
··· 60 G KIKKERERWTEN, UIT POT
··· 4 EL BOEKWEITMEEL
··· 30 G HAVERMOUT
··· 2 BIOLOGISCHE EIEREN
··· 1 TL WIJNSTEENBAKPOEDER
··· 3 EL SESAMZAAD
··· 1 TL GEELWORTELPOEDER
    (KURKUMA)
··· 1 TL KERRIEPOEDER
··· 1 TL KOMIJNPOEDER
··· 1 TL GEMBERPOEDER
··· 1 TL PAPRIKAPOEDER
··· 1/2 TL NOOTMUSKAAT, GEMALEN
··· SNUFJE ZEEZOUT EN ZWARTE
    PEPER
··· KOKOSOLIE, OM IN TE BAKKEN
··· 3 AUBERGINES
··· EVENTUEEL TOMAAT, ALFALFA,
    MOSTERD OF PETERSELIE

BENODIGDHEDEN
GRILLPAN

BEREIDING

Spoel de quinoa schoon en kook die met twee keer zo veel water en het bouillonblokje in 20 min. gaar. Snijd ondertussen de ui, knoflook, rode peper en lente-ui in kleine stukjes. Prak de kikkererwten met een vork. Meng de puree samen met de gesneden groenten en het boekweitmeel, de havermout, eieren, het wijnsteenbakpoeder, sesamzaad, de specerijen en een snufje zeezout en peper in een kom. Voeg de quinoa eraan toe en roer alles met een lepel goed door elkaar tot een dik, plakkerig mengsel.

Verwarm een grote koekenpan op hoog vuur, met een eetlepel kokosolie. Schep telkens een grote eetlepel 'burgerdeeg' in de pan en druk plat. Bak niet meer dan 4 burgers tegelijkertijd. Zodra de onderkanten knapperig zijn, draai je ze om met een spatel. Herhaal dit totdat het deeg op is. Voeg extra kokosolie toe als de pan te droog wordt.

Zet een grillpan op het vuur en laat heet worden. Was de aubergines en snijd ze in 16 dunne ronde plakken. Bestrijk ze met kokosolie. Grill totdat een groot gedeelte van het vocht verdampt is en er mooie 'grillstrepen' op de aubergine staan. Strooi er nog wat zeezout overheen.

Leg 8 plakjes aubergines op een plank of op borden, leg de burgers hierop en garneer eventueel met plakjes tomaat, alfalfa, mosterd en verse peterselie. Tot slot leg je de andere 8 plakjes aubergine(s) erbovenop.

PIZZA

NATUURLIJK MAG JE JEZELF AF EN TOE *verwennen* MET DE *greasy* DEEGVARIANT. MAAR *just so you know*, HET KÁN *gezonder*. DIT PIZZADEEG IS GEMAAKT VAN... BLOEMKOOL. *Yep!*

BEREIDINGSTIJD
RUIM 2 UUR

INGREDIËNTEN DEEG
··· 2 GROTE BLOEMKOLEN
··· 2 EIEREN
··· 1 TL ROZEMARIJN, GEDROOGD
··· 1 TL OREGANO, GEDROOGD
··· SNUFJE ZEEZOUT
··· 1/2 TL ZWARTE PEPER

INGREDIËNTEN VOOR
MIJN FAVORIETE TOPPING:
··· 2 GROTE EL (ZELFGEMAAKTE)
    TOMATENSAUS
··· 1 KLEINE UI, IN RINGEN
··· 5 CHAMPIGNONS
··· 1 TL CHILIPOEDER
··· HANDJE VERSE BASILICUM
··· 3 EL GERASPTE GEITENKAAS

BENODIGDHEDEN
BLENDER OF KEUKENMACHINE
OVENSCHAAL
BAKPLAAT BEKLEED MET BAKPAPIER

BEREIDING

Verwarm de oven voor op 180 °C. Haal de roosjes van de bloemkolen en doe ze in de blender of keukenmachine. Spreid ongeveer 500 g gemalen bloemkool uit in een ovenschaal en zet deze in de oven. Hussel af en toe om. Klop ondertussen in een kom de eieren met een vork luchtig. Zet de oven na 30 min. uit en laat de bloemkool nog 30 min. in de oven staan met de deur op een kier. Haal dan uit de oven en doe de bloemkool in een schone theedoek. Breng de punten van de doek naar elkaar toe en draai de theedoek dicht. Draai de doek steeds strakker dicht en knijp er zoveel mogelijk vocht uit.

Zet ondertussen de oven weer aan op 180 °C. Voeg de bloemkool bij de eieren in de kom samen met de andere ingrediënten. Kneed alles tot een grote, kleverige bal en leg deze op een bakplaat met bakpapier. Vorm met je handen een pizzabodem en zorg dat de rand wat hoger is.

Zet de pizzabodem ca. 30 min. in de voorverwarmde oven en maak ondertussen de *topping*.

Je kan het zo gek maken als je zelf wilt! Haal de bodem uit de oven en verdeel er de tomatensaus en andere ingrediënten over. Bak je pizza in 20 à 25 min. af in de oven en snijd daarna in puntjes.

Women belong in the kitchen. Men belong in the kitchen. Everyone belongs in the kitchen. Kitchen has food.

STAMPPOTJE

LANG *leve* DE STAMPPOT! IK HEB DEZE *Hollandse* KOST EEN PITTIGE, ZOETE *twist* GEGEVEN MET *zoete* AARDAPPEL EN *cayennepeper*. DIT GERECHT BARST VAN DE *vezels* VANWEGE DE VELE *groenten* EN DIE *zorgen* ERVOOR DAT JE LANG EEN VOL GEVOEL HOUDT EN BARST VAN DE *energie*.

BEREIDINGSTIJD
30 MINUTEN

INGREDIËNTEN (3 À 4 PERSONEN)
··· 1 BLOEMKOOL, CA. 400 G
··· 2 ZOETE AARDAPPELEN, CA. 600 G
··· 250 G PADDENSTOELENMIX VAN HET SEIZOEN
··· 2 WINTERWORTELS, CA. 180 G
··· 1 BIOLOGISCH GROENTEBOUILLON-BLOKJE
··· 1 GROTE RODE UI
··· KOKOSOLIE, OM IN TE BAKKEN
··· 2 TEENTJES KNOFLOOK
··· ZEEZOUT EN ZWARTE PEPER
··· 1 EL MOSTERD
··· 1 EL TAMARI (JAPANSE GLUTEN-VRIJE SOJASAUS)
··· 1 TL CAYENNEPEPER

BENODIGDHEDEN
PUREESTAMPER

BEREIDING

Was de groenten en de champignons. Snijd de bloemkool in roosjes en de stronk in stukjes en snijd de wortels in plakjes. Kook de bloemkool, wortels en de zoete aardappelen apart van elkaar gaar en giet ze daarna af. Bewaar wel een kopje kookvocht van de aardappelen. Verkruimel het bouillonblokje boven het kopje kookvocht en laat het oplossen.

Snipper ondertussen de ui en bak deze glazig met een eetlepel kokosolie in een koekenpan. Pel de knoflook en pers uit boven de ui. Houd de gebakken ui tot gebruik apart op een bord.

Snijd de paddenstoelen in plakjes of grove stukken en bak ze met een eetlepel kokosolie in de koekenpan. Laat het vocht verdampen en breng op smaak met wat peper en zout.

Stamp de aardappelen met de bouillon en de ui fijn en stamp de overige groenten grof. Voeg de groenten aan de zoete-aardappelpuree toe en meng alles door elkaar. Breng het stamppotje op smaak met de mosterd, tamari, cayennepeper en zwarte peper. Proef dan of er nog zout door moet.

Garneer het stamppotje met de gebakken paddenstoelen.

Tip! Voor de eiwitten kun je
er een lekkere
biologische worst of een eitje
aan toevoegen.

LASAGNINE

GEEN LASAGNE EN OOK GEEN LASAGNETTE, *give it up* VOOR DE LASAGNINE. EEN *gerecht* MET AUBERGINES IN PLAATS VAN *deegbladeren*. LICHTER, MAAR *onwijs* VOEDZAAM.

BEREIDINGSTIJD
CA. 45 MINUTEN

INGREDIËNTEN (2 PERSONEN)
··· 4 KLEINE OF 2 GROTE AUBERGINES
··· KOKOSOLIE, OM IN TE BAKKEN
··· SNUFJE ZEEZOUT EN ZWARTE PEPER
··· CA. 500 ML TOMATENSAUS, UIT POT
··· 3 EL GERASPTE GEITENKAAS
··· KLEIN HANDJE BASILICUMBLAADJES, GESNEDEN
··· 4 TL VERSE OREGANO, GESNEDEN
··· 2 BIOLOGISCHE EIEREN

BENODIGDHEDEN
RECHTHOEKIGE OVENSCHAAL:
CA. 15 × 25 CM OF 20 × 20 CM

BEREIDING
Verwarm de oven voor op 240 °C. Snijd de aubergines in de lengte in dunne plakken. Bestrijk de plakken met gesmolten kokosolie en strooi er een beetje zout en peper over. Gril ze 15 min. in de oven. Verlaag hierna de oventemperatuur naar 180 °C.

Als ze mooi gegrild zijn, leg je een derde of een kwart van de aubergineplakken op de bodem van de ovenschaal. Schep er een aantal lepels tomatensaus over, daarna een theelepel geraspte geitenkaas en vervolgens een aantal gesneden basilicumblaadjes en wat oregano. Herhaal dit, totdat je geen aubergine meer overhebt. Klop de 2 eieren los en giet ze over de aubergineschotel. Zet de lasagnine 30 min. in de voorverwarmde oven. Garneer met kleine basilicumblaadjes. *Enjoy!*

Snacks

Eat, sleep, snack, repeat

Ik snack de hele dag door, en daar is niks mis mee. Sterker nog, het is belangrijk om je bloedsuikerspiegel op peil te houden gedurende de dag. Da's goed voor je spijsvertering. Voor, tijdens of na het sporten vind ik het fijn om een vullende koek te snacken. En als ik onderweg ben, heb ik altijd een granola bar of wat bietenchips bij me. Niet alleen té lekker, maar snacks zijn ook zo leuk om te maken.

Je kunt de balletjes invriezen. Handig als je ze wilt meenemen.

recept blz. 119

CASHEW CANDY

DEZE *snackballetjes* ZIJN ZO KLAAR EN *finger lickin' good!* IK MAAK ER VAAK EEN HELEBOEL VOOR MEZELF ALS IK EEN BANKAVONDJE HEB. OF IK SERVEER ZE OP EEN GROTE SCHAAL VOOR *visite.* MAAKT NIET UIT OF IK ER ALLEEN VAN *eet* OF MET EEN GROEPJE: BINNEN *no time* ZIJN ZE OP.

∽

BEREIDINGSTIJD
15 MINUTEN

INGREDIËNTEN (CA. 10 BALLETJES)
··· 90 G RAUWE CASHEWNOTEN
··· 75 G ONTPITTE DADELS
··· 1 EL AHORNSIROOP
··· 2 EL (RAUWE) CACAO
··· 1 EL HAVERMEEL
··· 1 TL VANILLEPOEDER, ONGEZOET
··· 1 EL KOKOSOLIE
··· 3 EL SESAMZAAD, GEROOSTERD

BENODIGDHEDEN
BLENDER

BEREIDING

Maal de cashewnoten in de blender fijn. Voeg dan de dadels, ahornsiroop, cacao, havermeel, vanille en kokosolie toe. Mix alles door elkaar en schep daarna de inhoud uit de blender in een kom. Pak een klein beetje van het deeg, leg het in je handpalm en draai er kleine balletjes van. Rol ze tot slot door het sesamzaad *and it's ready to serve!*

TOASTJES

MIJN *moeder* MAAKT *crackers* EN TOASTJES ALTIJD ZELF. ALS WIJ VROEGER IN DE *achtertuin* SPEELDEN, KWAM ZIJ ONS TRAKTEREN OP *home made toast* MET IETS LEKKERS EROP. IK NEEM DEZE TOASTJES VAAK MEE NAAR HET *park*. HEERLIJK MET CHIAJAM OF WAT *geitenkaas*.

∽

BEREIDINGSTIJD
45 MINUTEN

INGREDIËNTEN (25 STUKS)
··· 80 G SESAMZAAD
··· 70 G HENNEPZAAD
··· 70 G ZONNEBLOEMPITTEN
··· 120 G HAVERMEEL (OF AMARANT-,
    QUINOA- OF AMANDELMEEL)
··· 1 TL WIJNSTEENBAKPOEDER
··· 1 EL HONING
··· 2 SNUFJES ZEEZOUT
··· 2 MESPUNTJES CAYENNEPEPER
··· 80 G ONTGEURDE KOKOSOLIE,
    GESMOLTEN
··· 1 LIMOEN

BENODIGDHEDEN
DEEGROLLER
BAKPAPIER

BEREIDING
Verwarm de oven voor op 200 °C. Doe de zaden, pitten, meel, bakpoeder, honing, zeezout en peper in een mengkom. Schenk de kokosolie erbij en knijp de limoen erboven uit. Kneed met je handen dit deeg 5 min. goed door elkaar. Je hebt nu een soepel deel, voeg eventueel een heel klein beetje water toe.

Leg het deeg op een vel bakpapier en dek af met een tweede vel. Rol het deeg dun uit tot 3-4 mm en verwijder dan het bovenste vel papier. Bestrooi eventueel met zout of wat extra zaadjes of pitjes en druk iets aan.

Snijd het deeg dan met een groot mes in kleine vierkantjes. Schuif de crackers met het bakpapier op een bakplaat in de voorverwarmde oven en bak ze 30 min. of totdat ze knapperig zijn.

Have fun when you workout, so it won't feel like work.

SPORTKOEKEN

Trainen MAAKT ME HONGERIG! VOORAL NA EEN LEKKERE run OP ZONDAGOCHTEND. DEZE koekjes ZITTEN BOMVOL eiwitten, vetten EN koolhydraten. EN DAT IS PRECIES WAT JE nodig HEBT TIJDENS OF na EEN FLINKE workout.

∽

BEREIDINGSTIJD
CA. 35 MINUTEN

INGREDIËNTEN (CA. 6 GROTE KOEKEN)
··· 100 G PECANNOTEN, GEHALVEERD
··· 50 G HAVERMOUT
··· 30 G KIKKERERWTENMEEL (OF ANDER MEEL NAAR WENS)
··· 1 TL WIJNSTEENBAKPOEDER
··· 1 MESPUNTJE KANEELPOEDER
··· 1 TL VANILLEPOEDER
··· 1 EL PLANTAARDIG EIWITPOEDER, OPTIONEEL
··· 2 EIEREN
··· 55 G MOERBEIEN (OF ROZIJNEN, GOJIBESSEN)
··· 2 EL SESAMZAAD

BENODIGDHEDEN
BLENDER
BAKPAPIER

BEREIDING

Verwarm de oven voor op 180 °C. Rooster de pecannoten een minuut of twee in een koekenpan. Maal de noten daarna een minuutje in de keukenmachine of blender, voeg havermout en meel toe en mix alles fijn. Mix niet te lang, anders komt er olie uit de noten vrij.

Schep de mix in een grote kom en doe de wijnsteenbakpoeder, kaneel en vanillepoeder erbij. Voeg eventueel wat eiwitpoeder toe. Klop vervolgens de eieren los en giet deze bij het mengsel. Roer goed door elkaar tot een kleverig beslag. Schep het beslag weer in de blender, voeg moerbeien en sesamzaad toe en mix alles fijn.

Pak telkens 2 eetlepels beslag, rol dat tot een balletje en druk dit balletje met je handen plat op het bakpapier. Houd 3 cm afstand van elkaar. Bak de koeken in de oven in ca. 20 min. goudbruin en gaar.

PEPERNOTEN

Sinterklaas OF NIET, IK EET HET *liefst* HET HELE *jaar* DOOR PEPERNOTEN. TÉ LEKKER BIJ EEN KOP *thee* OF CHOCOLADEMELK. ALS IK WEET DAT MIJN *neefje* EN *nichtje* OP BEZOEK KOMEN, ZORG IK DAT IK EEN *flinke* SCHAAL HEB *klaarstaan*. ZO IS HET *altijd* SINTERKLAAS!

BEREIDINGSTIJD
45 MINUTEN

INGREDIËNTEN (CA. 50 PEPERNOTEN)
- 140 GR DADELS, ZONDER PIT
- 40 G KOKOSBLOESEMSUIKER
- 2 TL WIJNSTEENBAKPOEDER
- 2 TL SPECULAAS- OF KOEK-KRUIDEN
- SNUFJE ZEEZOUT
- 125 G SPELTMEEL (LIEFST VOLKOREN)
- 50 G KOKOSOLIE, GESMOLTEN
- SCHEUTJE WATER

BENODIGDHEDEN
VERGIET
BLENDER
BAKPLAAT MET BAKPAPIER BEKLEED

BEREIDING

Week de dadels 15 min. in water. Verwarm de oven voor op 160 °C. Doe kokosbloesemsuiker, bakpoeder, kruiden, zeezout en het speltmeel in een kom en voeg de kokosolie toe. Kneed alles door elkaar.
Laat de dadels uitlekken in een vergiet en snijd ze in stukjes. Doe ze samen met een scheutje water in dc blender en mix ze fijn. Als de dadels aan de zijkanten blijven kleven, dan zet je af en toe de blender uit en schraap je de stukjes met een lepel naar het midden.
Doe de kleverige dadelmassa bij het droge deeg en kneed alles met je handen tot een samenhangend soepel deeg. Maak er een grote bal van. Neem er steeds een plukje deeg van af en rol dit tot een klein balletje. Leg op het bakpapier en ga door tot je deeg op is en de bakplaat vol ligt met zo'n 50 balletjes. Bak ze ongeveer 25 min. in de voorverwarmde oven. Kijk af en toe even of ze niet te donker worden, want iedere oven is weer anders. Laat ze dan even afkoelen.

Tip! Liever chocoladepepernoten? Voeg wat cacaopoeder en cacaonibs toe.

Happiness is... Always having the next snack prepared.

Tip! Wikkel je bar in wat bakpapier én knoop dicht met een touwtje, zo kun je 'm makkelijk meenemen.

GRANOLA BARS

ALS IK DOOR NEW YORK LOOP, KOOP IK *onderweg* ALTIJD EEN *gezonde* GRANOLA BAR EN EEN SMOOTHIE. IK ZOU *mezelf* NIET ZIJN ALS IK DIE HEERLIJKE REPEN NIET NA ZOU WILLEN MAKEN. IK BEN GAAN *proberen* ÉN PROBEREN ÉN PROBEREN EN IK KAN JE VERZEKEREN DAT DEZE LEKKERDER ZIJN DAN DE *variant* DIE JE IN DE WINKEL KOOPT. *So good!* IK BEWAAR DE BARS IN DE *vriezer*, ZODAT IK ZE *vers* KAN MEENEMEN.

BEREIDINGSTIJD
30 MINUTEN

KOELTIJD
2 UUR

INGREDIËNTEN (CA. 12 REPEN)
··· 85 G GEMENGDE (ON)GEBRANDE NOTEN
··· 190 G DADELS, ZONDER PIT
··· 120 G HAVERVLOKKEN
··· 70 G NOTENPASTA
··· 2 EL HONING
··· 65 G GEMENGDE ZADEN, ZOALS CHIA-,HENNEP-,ZONNEBLOEM-, POMPOEN-, EN/OF GEBROKEN LIJNZAAD.
··· 50 G GEMENGD GEDROOGD FRUIT, ZOALS CRANBERRY'S, ROZIJNEN, ABRIKOZEN EN/OF GOJIBESSEN
··· SNUFJE ZEEZOUT
··· 1 MESPUNTJE KANEELPOEDER
··· 1 MESPUNTJE GEMBERPOEDER
··· 2 EL KOKOSOLIE

BENODIGDHEDEN
BLENDER,
PLATTE VIERKANTE OVENSCHAAL
VAN CA. 20 × 20 CM
BAKPAPIER

BEREIDING
Verwarm je oven voor op 200 °C. Doe de noten in de blender en mix ze fijn, doe de dadels erbij en mix het tot een kleverige massa. Doe de haver-vlokken in een ovenschaal, bak ze 15 min. en laat dan tot lauw afkoelen. Verwarm ondertussen de notenpasta met de honing in een pannetje en voeg dat samen met de dadelpasta bij de noten en de rest van de ingredi-enten in een kom. Kneed alles goed door, zodat het een samenhangende substantie wordt.
Spreid het mengsel tot een gelijkmatige laag uit in een lage schaal, druk alles stevig samen en goed vlak met de bolle kant van een metalen lepel. Dit is belangrijk: anders brokkelen de repen straks af.
Zet de schaal vervolgens minimaal twee uur in de koelkast en snijd de koek daarna met een scherp mes in repen.

Tip! Als de dadels niet kleverig en vochtig aanvoelen, dan kun je ze voordat je aan de slag gaat 10 min. in heet water laten weken. Zo vallen je granola bars niet uit elkaar.

Tip! Je kunt van rozemarijntakjes ook thee trekken. Lekker na een grote maaltijd, want het helpt tegen een vol gevoel.

ROZEMARIJNCRACKERS *foto blz. 50*

DEZE CRACKERS ZIJN HET LEKKERST ALS JE *verse* ROZEMARIJN GEBRUIKT. DE *geur* EN DE SMAAK MAKEN ME ZO *relaxed* EN *happy*. DAARNAAST IS ROZEMARIJN GOED VOOR DE *spijsvertering*. HEERLIJK OM MEE TE NEMEN IN JE LUNCHBOX, MAAR OOK LEKKER ALS *borrelhap* MET *home made* PESTO (ZIE BLZ 153) OF HUMMUS (ZIE BLZ 154).

BEREIDINGSTIJD
CA. 35 MINUTEN

INGREDIËNTEN (+/- 16 CRACKERS)
- 400 G AMANDELMEEL
- 4 BIOLOGISCHE EIEREN (ALLEEN HET EIWIT)
- 2 EL GEBROKEN LIJNZAAD
- 2 TL WIJNSTEENBAKPOEDER
- 2 TL ZEEZOUT
- 2 EL SESAMZAAD
- 1 TL TIJM
- 3 TL ROZEMARIJN
- 1 EL KOKOSOLIE
- ZWARTE PEPER

BENODIGDHEDEN
BAKPAPIER

BEREIDING
Verwarm de oven op 180 °C. Doe alle ingrediënten in een kom en kneed door elkaar tot een bal. Deel het deeg in 2 gelijke stukken en leg 1 stuk op een vel bakpapier dat op de bakplaat past. Rol het deeg met een deegroller uit tot een vierkante dunne lap van ca. 24 × 24 cm en 3 mm dik. Snijd de lap in 8 rechthoeken van 12 × 6 cm en schuif het vel crackers op de bakplaat. Schuif de plaat in de oven en bak de crackers in 20-25 min. gaar en knapperig.
Rol ondertussen de tweede helft van het deeg op dezelfde manier uit op een tweede vel bakpapier en bak ze na de eerste plaat crackers.

GO NUTS BALLS *foto blz. 104*

It's okay to go nuts once in a while. MAAR GELUKKIG MAAK JE JE *brain* HEEL RELAXED MET DEZE SNACKBALLETJES DIE *bomvol* NOTEN ZITTEN EN DAARDOOR VEEL *magnesium* EN GOEDE VETTEN BEVATTEN. *Superchill!*

BEREIDINGSTIJD
20 MINUTEN

INGREDIËNTEN (CA. 15 BALLETJES)
··· 100 G ONGEBRANDE PECANNOTEN, OF ANDERE NOTEN NAAR WENS
··· 160 G HAVERMOUT
··· 2 EL KOKOSRASP, GESMOLTEN
··· 1/2 TL VANILLEPOEDER, ONGEZOET
··· 2 TL (RAUWE) HONING
··· SNUFJE ZEE- OF HIMALAYAZOUT
··· 3 EL NOTENPASTA, ONGEZOUTEN
··· 2 EL KOKOSOLIE
··· 2 TL MACAPOEDER, OPTIONEEL
··· 1 EL CACAONIBS, OPTIONEEL

BENODIGDHEDEN
BLENDER OF KEUKENMACHINE

BEREIDING

Maal de pecannoten heel even grof in de blender of keukenmachine. Doe de overige ingrediënten, behalve de cacaonibs en het macapoeder, in een kom en voeg de gemalen noten toe. Kneed er ongeveer 15 middelgrote balletjes van. Doe er eventueel voor wat meer *power* macapoeder bij en cacaonibs voor een extra *bite*!

SPRUITJES

Toen ik voor het eerst in New York kwam was er geen spruit te vinden. Maar de afgelopen jaren zijn *Brussels sprouts*, net als boerenkool, zo populair in de U.S. dat ik ze op iedere straathoek zie liggen. Het is niet zo gek, want ze zijn enorm gezond. Ze bevatten veel vitamine C en K en een hoop mineralen die reinigend werken voor je lichaam. Als kind vond ik ze niet lekker. Maar nu ik weet dat je ze ook anders kunt klaarmaken dan sufkoken, eet ik ze in de winter vrijwel elke week. Heerlijk met verse kruiden en wat honing.

GEROOSTERDE ZOETE SPRUITJES

ALS KIND KREEG IK *regelmatig* EEN BORD SPRUITJES *voorgeschoteld*. WAS IK *nooit* HEEL ERG *blij* MEE. MAAR HALLO, WAAROM KOKEN WE SPRUITJES TOCH ALTIJD ZO *suf?* DOOR ZE TE *roosteren* MET HONING WORDEN ZE *super sweet!* NU SNACK IK ZE ALS IK *languit* OP DE BANK EEN FILM KIJK. EN WEDDEN DAT JE *kids* DEZE WEL LUSTEN?

BEREIDINGSTIJD
CA. 40 MINUTEN

INGREDIËNTEN (CA. 25 STUKS)
··· 250 G KLEINE SPRUITJES
··· 3 TL KOKOSOLIE, GESMOLTEN
··· 3 TEENTJES KNOFLOOK
··· 1 TL CITROENSAP
··· 1 TL ZEEZOUT
··· 1/2 TL KERRIEPOEDER
··· 1 TL ZWARTE PEPER
··· 2 TL HONING
··· 30 G ZACHTE GEITENKAAS,
    OPTIONEEL

BENODIGDHEDEN
GIETIJZEREN PAN OF OVENSCHAAL

BEREIDING
Verwarm de oven voor op 180 °C. Maak de spruitjes schoon en doe ze in een gietijzeren pan of ovenschaal. Schenk de kokosolie over de spruitjes. Pers de knoflook erboven uit en schep het citroensap, zeezout, kerriepoeder, zwarte peper en honing erdoor.

Rooster de spruitjes ca. 30 min. in de voorverwarmde oven. Schep ze af en toe om, tot ze goudbruin gekleurd zijn.

Verdeel daarna eventueel wat grof verkruimelde geitenkaas over de spruitjes en zet ze nog 5 min. terug in de oven. Breng op smaak met zout en peper.

BIETENCHIPS

IK ONTDEKTE *groente*- EN FRUITCHIPS IN DE *deli's* IN NEW YORK. EN OMDAT CHIPS MIJN *verslaving* IS, VIND IK DEZE *almost better than the real thing*. IK SNAAI ZONDER *schuldgevoel* EEN GROTE BAK LEEG. OOK HEERLIJK OM TE DIPPEN IN WAT HUMMUS OF *tapenade*.

BEREIDINGSTIJD
30 MINUTEN

INGREDIËNTEN (KOM)
··· 4 BIETEN
··· 1 EL KOKOSOLIE, GEURLOOS
··· 2 TL TIJM, VERS OF DROOG
··· ZEE- OF HIMALAYAZOUT

BENODIGDHEDEN
MANDOLINE OF EEN HEEL SCHERP MES
2 BAKPLATEN
BAKPAPIER

BEREIDING
Verwarm de oven voor op 180 °C. Bekleed 2 bakplaten met bakpapier. Boen de bietjes schoon en snijd met een mandoline of een scherp mes in heel dunne plakjes.
Smelt de kokosolie in een pannetje. Doe de bietenplakjes samen met de gesmolten kokosolie en de tijm in een schaal en hussel voorzichtig door elkaar. Verdeel de schijfjes los van elkaar over 2 (met bakpapier beklede) ovenplaten en bak de bietenchips in ongeveer 20 min. heerlijk knapperig! Bestrooi met wat zout. Neem af en toe een kijkje of ze niet te donker worden en wissel eventueel halverwege de baktijd de bakplaten van plaats in de oven.

APPELCHIPS

BEREIDINGSTIJD
3 À 4 UUR

INGREDIËNTEN (KOM)
··· 5 KLEINE TOT MIDDELGROTE APPELS (BIJ VOORKEUR VERS EN KNAPPERIG)
··· 2 EL KANEELPOEDER
··· 2 MESPUNTJES ZEE- OF HIMALAYAZOUT

BENODIGDHEDEN
APPELBOOR
MANDOLINE OF EEN HEEL SCHERP DUN MES
2 BAKPLATEN
BAKPAPIER

BEREIDING
Verwarm de oven voor op 100 °C. Bekleed 2 bakplaten met bakpapier. Was de appels en verwijder het klokhuis met een appelboor. Snijd de appels daarna met een mandoline of een scherp mes in heel dunne plakjes (3 à 4 mm). Verdeel de appelschijfjes over de bakplaten, waarbij ze elkaar niet mogen overlappen. Bestrooi met wat zout en kaneel. Bak ze 3 à 4 uur, totdat de appels droog en lichtgerimpeld zijn. Zodra de chips zijn afgekoeld, zijn ze lekker knapperig en gekruid. Ook heel yummy voor *kids!*

Tip! In een luchtdichte bak kun je de chips ongeveer 3 dagen bewaren.

Kokosbûter, brea en geitentsiis, wat dat net sisse kin is gjin oprjochte Tries!

CHAMPS TAPAS

HET IS ZO LEUK OM DEZE *cuties* TE SERVEREN OP EEN *feestje* OF EEN ANDERE BIJZONDERE *eetgelegenheid*. ZE *verdwijnen* IN ÉÉN KEER IN JE *mond*. WARM ZIJN ZE HET *lekkerst*, MAAR JE KUNT ZE OOK *koud* ETEN.

BEREIDINGSTIJD
25 MINUTEN

INGREDIËNTEN (8 STUKS)
··· 8 GROTE CHAMPIGNONS
    (CA. 250 G)
··· 1 SJALOTJE
··· 1 TL KOKOSOLIE, OM IN TE
    BAKKEN
··· 2 EL GROENE OF RODE PESTO
    (ZIE BLZ 153)
··· 1 TL GEELWORTELPOEDER
    (KURKUMA)
··· 1/2 TL ZWARTE PEPER
··· 50 G PIJNBOOMPITTEN
··· ZEEZOUT, OPTIONEEL

BENODIGDHEDEN
STAAFMIXER
KLEINE OVENSCHAAL

BEREIDING

Verwarm de oven voor op 200 °C. Veeg de champignons voorzichtig schoon, haal de stelen eraf en hol ze met een theelepel uit. Snipper het sjalotje en hak de champignonstelen fijn. Bak sjalot en gehakte champignonstelen 2 min. met de kokosolie aan. Schep als het vocht grotendeels verdampt is het mengsel in een kom of hoge mengbeker.

Voeg de pesto, geelwortelpoeder en zwarte peper erbij en mix alles met een staafmixer fijn. Rooster de pijnboompitten in ongeveer 2 min. lichtbruin. Voeg ze aan het pestomengsel toe en roer goed door.

Schep in elke champignon een lepel vulling, strooi er eventueel nog wat zeezout overheen en zet ze in een ingevet ovenschaaltje 15 min. in de oven.

Sweets

Take pleasure seriously

Als kind stond ik al uren in de
keuken gezonde koekjes te bakken.
I confess: dat doe ik nog steeds.
Ik ben dol op healthy sweets,
en tja... het is nou eenmaal
het lekkerst als je ze zelf
gemaakt hebt. Ik vind het ook
een fijn idee dat ik altijd iets in
huis heb als ik visite krijg. En
soms (heel soms hoor) eet ik alles
helemaal alleen op.

NEXT LEVEL VLAFLIP

ZO *Hollands* EN ZÓ LEKKER. VOOR IEDEREEN DIE EEN *toetje* NA HET ETEN NIET KAN WEERSTAAN, *try this one.* DAAR KAN GEEN *pak* DUBBELVLA *tegenop!*

BEREIDINGSTIJD
20 MINUTEN

INGREDIËNTEN (CA. 2 PERSONEN)
VOOR DE MOUSSE
··· 2 GROTE BANANEN
··· 1/2 RIJPE AVOCADO
··· 2 EL RAUWE CACAOPOEDER
··· 1/2 TL KANEELPOEDER
··· 1 EL WATER

VOOR HET KARAMELIJS
··· 1 EL BIOLOGISCHE PINDAKAAS
··· 50 ML WARM WATER
··· 1 BEVROREN BANAAN, IN STUKJES
    GESNEDEN
··· 3 ONTPITTE (MEDJOOL)DADELS
··· SNUFJE ZEEZOUT
··· BIJENPOLLEN, OPTIONEEL

BENODIGDHEDEN
BLENDER
2 WECKPOTJES OF GLAZEN VAN
150 ML

BEREIDINGSWIJZE

Doe alle ingrediënten voor de mousse in de blender en mix tot een romig en luchtig geheel. Schep dit vervolgens in een kommetje.
Spoel de blender af, haal de bevroren banaan uit de vriezer en doe hetzelfde met de ingrediënten voor het karamelijs. Mix tot je een romig ijsmengsel hebt! Schep vervolgens de mousse en het ijs laagje voor laagje boven op elkaar. Besprenkel eventueel met nog wat bijenpollen.

Power food

Tip! Je kunt natuurlijk ook alle ingrediënten in één keer in de blender mixen, dan ben je sneller klaar. Maar met losse laagjes ziet het er veel leuker uit.

RAINBOW ICE POPS

Somewhere over the rainbow... DEZE IJSJES ZIEN ER NIET ALLEEN TÉ *cute* UIT, ZE ZIJN *hartstikke healthy*. IN HET CHIAZAAD ZIT *omega-3* EN DANKZIJ HET *fruit* ZITTEN ZE VOL VITAMINE C.

BEREIDINGSTIJD
20 MINUTEN

VRIESTIJD
12 UUR

INGREDIËNTEN (4 IJSJES)
··· 8 AARDBEIEN
··· 1 1/2 EL CHIAZAAD
··· 2 BANANEN
··· 1 EL AMANDELMELK
··· 1 KLEINE MANGO

BENODIGDHEDEN
BLENDER
4 IJSHOUDERS EN IJSLOLLYSTOKJES

BEREIDING

Mix de aardbeien in de blender. Doe het mengsel in een kommetje met een halve eetlepel chiazaad en roer het goed door. Schenk de ijshouders voor een derde vol met de aardbeienpuree en laat dit 4 uur invriezen.
Doe vervolgens hetzelfde met de bananen maar voeg hier naast een halve eetlepel chiazaad ook de amandelmelk aan toe.
Ook de mango mix je in de blender en meng je met een halve eetlepel chiazaad. Zodra je bij de laatste laag bent, de mango, moet je de ijsjes eerst even 15 min. laten ontdooien anders krijg je de stokjes er niet in.

SWEET MUFFINS

HI *sweety pie!* DEZE SWEET MUFFINS WILDE IK JE NIET ONTHOUDEN. DIT ZIJN MIJN *all time favorites* VOOR ONDERWEG OF VOOR BIJ DE *thee*.

BEREIDINGSTIJD
60 MINUTEN

INGREDIËNTEN (CA. 10 STUKS)
··· 1 MIDDELGROTE ZOETE AARDAPPEL
··· 2 BIOLOGISCHE EIEREN
··· 125 ML ONGEZOETE AMANDELMELK
··· 1 EL KOKOSOLIE, GESMOLTEN
··· 60 ML AHORNSIROOP
··· 250 G BRUINE RIJSTMEEL
··· 1 EL WIJNSTEENZUURBAKPOEDER
··· 1/4 TL ZEEZOUT
··· 1/2 EL KANEELPOEDER
··· 1/2 TL GEMBERPOEDER
··· MESPUNTJE KRUIDNAGELPOEDER
··· MESPUNTJE NOOTMUSKAAT, GEMALEN
··· 1/2 EL ANIJSZAADJES
··· 2 EL CACAONIBS
··· 1 TL VANILLEPOEDER, ONGEZOET
··· 1 EL KOKOSBLOESEMSUIKER

BENODIGDHEDEN
10 MUFFINVORMPJES
GARDE

BEREIDING

Verwarm de oven voor op 180 °C. Spoel de aardappel schoon en kook hem in de schil gaar in een pannetje met water. Schraap dan de schil eraf en prak hem in een grote mengkom.

Voeg de eieren, amandelmelk, kokosolie en ahornsiroop toe en klop alles met een garde tot een gladde massa. Voeg de rest van de ingrediënten – behalve de kokosbloesemsuiker – toe en roer door elkaar.

Giet het beslag in de vormpjes en vul ze voor drie kwart. Besprenkel met wat kokosbloesemsuiker en zet ze in het midden van de oven. Bak de muffins in 35 à 40 min. gaar. Controleer ze af en toe en haal ze eruit zodra de bovenkant donker wordt.

Start each day like
it's your birthday!

ORANJETAART

VASTE PRIK OP *30 april!* NIET ALLEEN OOIT *Koninginnedag*, MAAR OOK *my birthday!* EN OMDAT HET ZO'N *delicious traditie* IS, BAK IK DEZE KNALORANJE TAART NOG STEEDS ELK JAAR. ZELFS NU MIJN *verjaardag* NIET MEER OP EEN *koninklijke* FEESTDAG VALT.

∼

VOORBEREIDINGSTIJD
WEEK DE CASHEWNOTEN IN WATER, CA. 4 UUR OF GEDURENDE DE NACHT

BAKTIJD
60-70 MINUTEN

INGREDIËNTEN TAART
(8-10 PERSONEN)
⋯ 150 ML KOKOSOLIE
⋯ 6 BIOLOGISCHE EIEREN
⋯ 150 ML RIJSTMELK
⋯ 100 ML AHORNSIROOP
⋯ 350 G SPELTMEEL
⋯ 400 G WORTELS, GERASPT
⋯ 1 TL KANEELPOEDER
⋯ 2 TL WIJNSTEENBAKPOEDER
⋯ SNUFJE ZOUT
⋯ 1 TL VANILLEPOEDER, ONGEZOET
⋯ 2 TL SPECULAASKRUIDEN

INGREDIËNTEN GLAZUUR
⋯ 350 G ONGEBRANDE CASHEW-
    NOTEN, GEWEEKT
⋯ SAP VAN 1 CITROEN
⋯ 2 EL KOKOSOLIE, GESMOLTEN
⋯ 2 EL KOKOSBLOESEMSIROOP
⋯ 1 TL VANILLEPOEDER, ONGEZOET
⋯ WINTERWORTEL, OPTIONEEL

BENODIGDHEDEN
SPRINGVORM Ø 24 CM
BLENDER OF KEUKENMACHINE
SPIRAALSNIJDER, OPTIONEEL

BEREIDING
Verwarm de oven voor op 180 °C. Smelt de kokosolie in een pannetje, meng de eieren, rijstmelk en ahornsiroop in een kom en voeg daar de andere ingrediënten voor de taart aan toe. Roer goed! Vet vervolgens de springvorm in met kokosolie, giet het mengsel erin en zet in de voorverwarmde oven. Bak de taart in 60-70 min. gaar. Laat de taart goed afkoelen.

Doe alle ingrediënten voor het glazuur, inclusief de geweekte en uitgelekte cashewnoten, in een blender of keukenmachine. Mix dit in 3 min. tot een glad en romig geheel. Als het niet goed mixt, stop dan de blender af en toe om de zijkanten schoon te schrapen. Bestrijk vervolgens de afgekoelde taart met deze *healthy frosting*!
Mooi om deze heerlijke taart te garneren met wortellinten die je met de spiraalsnijder hebt gemaakt.

Tip! Je kunt eindeloos experimenteren met kruiden en vruchten. Probeer het bijvoorbeeld eens met limoenschil en een snufje kardemom.

LOVE CHOC *foto blz. 144-45*

I'm in choc! SINDS IK *cacaoboter* HEB ONTDEKT, BEN IK NIET MEER TE *stoppen*. IK KAN ME EEN *hele* ZATERDAG *thuis* VERMAKEN MET DIT RECEPT. *Combi's* BEDENKEN, *chocoladebrokken* MAKEN EN... ZE VERSLINDEN *of course*.

BEREIDINGSTIJD
40 MINUTEN

INGREDIËNTEN (CA. 8 GROTE BROKKEN)
··· 2 HANDJES NOTEN NAAR KEUZE
··· 35 G CACAOBOTER
··· 4 EL GEURLOZE KOKOSOLIE
··· 2 EL RAUWE CACAOPOEDER
··· 1/2 TL VANILLEPOEDER
··· SNUFJE KANEELPOEDER
··· 2 EL AHORNSIROOP
··· HANDJE GOJIBESSEN
    (OF ANDERE GEDROOGDE
    VRUCHTEN NAAR KEUZE)
··· 2 EL GEPOFTE QUINOA
··· 1/2 TL ZEE- OF HIMALAYAZOUT

BENODIGDHEDEN
ONDIEPE RECHTHOEKIGE TAARTVORM
MET DICHTE BODEM

BEREIDING

Hak de noten grof. Doe cacaoboter en kokosolie in een kleine kom en plaats deze in een grotere kom met heet water. Laat de boter en olie smelten. Roer af en toe met een houten lepel en doe zodra alles gesmolten is, de cacaopoeder, vanillepoeder, kaneel en ahornsiroop erbij. Roer nog eens goed en schenk het mengsel dan in een ondiepe taartvorm. Bestrooi met de gojibessen, noten, quinoa en wat zeezout en laat ze in de cacaovloeistof zinken.

Zet de vorm 30 min. in de vriezer. Als je de vorm uit de vriezer hebt gehaald, moet je snel zijn, want de chocola smelt op kamertemperatuur. Dus als je alle chocola niet direct op kunt eten of niet wilt delen (wat ik kan begrijpen), bewaar de rest dan in de koelkast of zet terug in de vriezer.

KOKOSMAKRONEN *foto blz. 175*

Back in the day WERD IK BIJ *opa* EN *oma* IN FRIESLAND AF EN TOE *verwend* MET *koeken* VOL SUIKER. HELEMAAL *hyper* KWAM IK DAN THUIS. OM DAT *gezellige* GEVOEL WEER OP TE ROEPEN HEB IK DEZE KOKOSBALLETJES BEDACHT. NET ZO *lekker* ALS VROEGER, MAAR DAN *zonder sugar rush.*

BEREIDINGSTIJD
25 MINUTEN

INGREDIËNTEN (CA. 8 STUKS)
··· 2 BIOLOGISCHE EIEREN
    (ALLEEN HET EIWIT)
··· 2 EL HONING
··· 1 TL VANILLEPOEDER, ONGEZOET
··· 1/2 TL KANEELPOEDER
··· SNUFJE ZEEZOUT
··· SAP VAN 1/2 LIMOEN
··· 1 EL KOKOSOLIE, GESMOLTEN
··· 150 G GERASPTE KOKOS

BENODIGDHEDEN
GARDE OF MIXER
BAKPLAAT BEKLEED MET BAKPAPIER

BEREIDING

Verwarm de oven voor op 180 °C. Splits de eieren en doe het eiwit in een brandschone kom. Klop het met een garde of mixer tot het eiwit schuimig en dik wordt. Voeg toe: honing, vanillepoeder, kaneel, zout, limoensap en kokosolie en geraspte kokos.
Roer goed door elkaar en zet het dan 10 min. in de koelkast totdat de kokosrasp al het vocht heeft opgenomen.
Bekleed een bakplaat met bakpapier. Maak vervolgens met behulp van 2 lepels balletjes van het kokosdeeg en leg ze met wat tussenruimte op de bakplaat. Bak de makronen 12 min. tot ze aan de bovenkant lichtbruin zijn.

Tip! Gooi het eigeel niet weg, je kunt er nog een lekkere omelet van bakken of gebruiken voor andere gerechten.

RAUWE CACAO

Cacaopoeder komt van de cacaoboon, die aan bomen in landen rond de evenaar groeit. Als je de bonen maalt, krijg je rauwe cacaopoeder. En dat zit boordevol magnesium, waar je lekker relaxed van wordt. Het stofje tryptofaan maakt je daarnaast *very happy*. Ik gebruik rauwe cacao in smoothies, cakes en toetjes én je kunt er zelf chocolade van maken. *I love!*

ZOETE-AARDAPPELBROWNIES

IN *New York* KUN JE *home made* BROWNIES IN BIJNA ELKE *koffietent* KRIJGEN. MAAR ZE WORDEN NÓG *lekkerder* ALS JE ZE *zelf* MAAKT EN WEET DAT ER *powerfood* IN VERSTOPT ZIT.

∽

BEREIDINGSTIJD
60 MINUTEN

INGREDIËNTEN (8 STUKS)
- ··· 2 ZOETE AARDAPPELEN
  (CA. 400 G)
- ··· KOKOSOLIE, VOOR HET INVETTEN
- ··· 60 G ONGEBRANDE HAZELNOTEN
- ··· 40 G BOEKWEIT- OF SPELTMEEL
- ··· 6 EL RAUWE CACAO
- ··· 1/2 TL GEMBERPOEDER
- ··· 1 TL VANILLEPOEDER, ONGEZOET
- ··· 1 TL KANEELPOEDER
- ··· SNUFJE ZEEZOUT
- ··· 160 G ONTPITTE DADELS
- ··· 2 HANDJES ONGEBRANDE
  WALNOTEN
- ··· 3 EL AHORNSIROOP

BENODIGDHEDEN
KEUKENMACHINE
GROTE KOM
BAKPAPIER
KLEINE OVENSCHAAL (20 × 15 CM)

BEREIDING

Verwarm de oven voor op 180 °C. Schil de zoete aardappelen en snijd ze eenmaal in de lengte door. Bestrijk ze met 1 theelepel kokosolie en zet ze 20 min. in de oven of totdat ze gaar en zacht zijn.

Laat de oven op 180 °C staan. Laat de aardappelen afkoelen. Doe ondertussen de hazelnoten in de keukenmachine en maal ze fijn. Schep het notenmeel in een kom, voeg boekweit- of speltmeel, 5 eetlepels cacao, gember-, vanille- en kaneelpoeder en een snufje zeezout toe en roer door elkaar.

Snijd de dadels in kleine stukjes. Doe de afgekoelde zoete aardappel in de keukenmachine en maal fijn. Doe daarna de dadels erbij en maal mee tot ze fijn zijn. Schep het mengsel in de kom bij het meel met de specerijen en meng alles goed door elkaar tot een soepel deeg. Hak de walnoten grof, voeg de helft toe aan het deeg en roer ze erdoor.

Leg een stuk bakpapier in de ovenschaal, schep het deeg erin en maak de bovenkant plat met een spatel. Zet 30 min. in de oven. Prik om te controleren of de brownie gaar is, met een vork of satéprikker in het deeg. Als het mengsel niet meer blijft plakken, haal je de schaal uit de oven en laat je de brownie 10 min. afkoelen.

Maak, terwijl de brownie in de oven staat, de topping door 1 eetlepel cacao, een snufje zeezout en de ahornsiroop in een kommetje te mengen. Verdeel het glazuur over de afgekoelde brownie en strooi de rest van de gehakte walnoten erover. Haal de brownie met het papier voorzichtig uit de schaal en snijd in kleine stukjes.

CHOCOCAKE

DEZE *tulbandcake* MAAK JE MET *kikkererwten*. *Crazy?* NEE HOOR, DAARDOOR ZIT DE *cake* VOL *gezonde eiwitten* EN KUN JE 'M ZONDER *schuldgevoel* SNACKEN. DOOR DE AHORNSIROOP, *cacao* EN SINAASAPPELSCHIL WORDT 'IE *heerlijk* ZOET.

BEREIDINGSTIJD
CA. 60 MINUTEN

INGREDIËNTEN
··· KOKOSOLIE, VOOR HET INVETTEN
··· 260 G KIKKERERWTEN, GEKOOKT
··· 2 EIEREN
··· 50 ML AHORNSIROOP
··· 5 EL KOKOSMELK
··· 1/2 EL WIJNSTEENBAKPOEDER
··· 3 EL CACAOPOEDER
··· 1 TL RASP VAN EEN BIOLOGISCHE SINAASAPPEL
··· 200 G PURE CHOCOLADE, LIEFST 70% OF MEER, MET KOKOSBLOESEMSUIKER

BENODIGDHEDEN
TULBANDVORM, Ø 16,5 CM
BLENDER

BEREIDING

Verwarm de oven voor op 180 °C. Vet een (tulband)vorm in met kokosolie. Laat de kikkererwten uitlekken en doe ze in de blender. Voeg de eieren, siroop, kokosmelk, wijnsteenbakpoeder en cacaopoeder bij de erwten en mix tot een romige massa.

Schenk het mengsel in een kom. Spoel de sinaasappel schoon en rasp een theelepel boven het chocoladebeslag.

Doe de chocoladerepen in een klein pannetje en laat ze op laag vuur smelten. Roer de gesmolten chocolade door het beslag en schenk de cake in de ingevette vorm.

Zet de tulband in de voorverwarmde oven en bak in ca. 35 min. gaar. Laat eventjes afkoelen voordat je de cake omkeert en de vorm verwijdert om verder af te laten koelen.

Serveer met wat kokosreepjes en extra geraspte sinaasappelschil.

Power food

Toppings

Spread the word!

Mijn koelkast staat bomvol
potjes met allerlei delicious
spreads. Komt omdat ik het
heerlijk vind om bij elk gerecht
een klodder saus of een lekkere
topping te eten. En ik smeer
en dip er ook op los met verse
groenten, crackers of roggebrood.
De spreads zijn in de koelkast
goed te bewaren in afgesloten
bakjes en ze zorgen dat elk
eetmoment een klein feestje wordt.

recept blz. 45

RODE PESTO

That's hot! RODE PESTO MET *zongedroogde* TOMAAT EN EEN *rood* PEPERTJE. HET LEKKERE AAN PESTO VIND IK DAT JE HET KAN *verwerken* IN GERECHTEN EN SALADES, MAAR OOK KUNT *smeren* OP EEN TOASTJE. NA DE *klassieke* GROENE PESTO IS DIT MIJN NIEUWE *favoriet*.

BEREIDINGSTIJD
15 MINUTEN

INGREDIËNTEN (CA. 8 PORTIES)
··· 1 TEENTJE KNOFLOOK
··· 1/2 RODE PEPER
··· 100 G ZONGEDROOGDE TOMATEN
··· 1 EL EXTRA VIERGE OLIJFOLIE
··· HANDJE ONGEBRANDE
    CASHEWNOTEN
··· 1 TL OREGANO, GEDROOGD
··· SNUFJE ZEEZOUT EN ZWARTE
    PEPER
··· 2 HANDJES VERSE BASILICUM-
    BLAADJES

BENODIGDHEDEN
STAAFMIXER OF BLENDER
VIJZEL

BEREIDING

Doe de knoflook, rode peper (eventueel zonder zaadlijsten), gedroogde tomaten, olijfolie en de cashewnoten in de blender of in een hoge meng-beker van de staafmixer en maal fijn.

Doe oregano, zeezout en peper erbij en mix het nog een keer. Kneus in een vijzel de basilicumblaadjes fijn en roer deze door de pesto.

Wanneer het mengsel te droog is, kun je er nog wat extra olijfolie doorroe-ren. Schep de pesto in een mooi kommetje. Garneer met kleine basilicum-blaadjes.

BIETENHUMMUS

ZOETE, *roze* HUMMUS MAAKT EEN FEESTJE VAN *rijstwafels*, CRACKERS OF *rauwkost*. DOOR DE BIETEN IS HET SMEERSEL EXTRA *voedzaam*, WANT DIE RODE *vitaminebommetjes* HOUDEN JE *spijsvertering* OP GANG EN *reinigen* JE LICHAAM.

BEREIDINGSTIJD
75 MINUTEN

INGREDIËNTEN (CA. 500 G)
··· 3 RAUWE RODE BIETEN, SCHOON-
    GEMAAKT (CA. 200 G)
··· 1 LIMOEN
··· 2 TEENTJES KNOFLOOK
··· 250 G KIKKERERWTEN, UIT POT
··· 2 EL EXTRA VIERGE OLIJFOLIE
··· 3 EL TAHIN (SESAMZAADPASTA)
··· HANDJE BASILICUMBLAADJES
··· 1 TL KOMIJNPOEDER
··· 1/2 TL CAYENNEPEPER
··· 2 TL KORIANDERPOEDER
    (KETOEMBAR)
··· 1 TL ZWARTE PEPER
··· SNUFJE ZEEZOUT

BENODIGDHEDEN
BLENDER OF KEUKENMACHINE

BEREIDING

Kook de bieten in ca. 60 min. gaar en laat ze afkoelen. Pers daarna de limoen uit en snijd de knoflook en bietjes in kleine stukjes. Doe ze samen met de kikkererwten en de andere ingrediënten in de blender of keuken-machine. Mix tot een glad rood-roze mengsel en breng het op smaak met wat zeezout.

Power food

recept blz. 44

TAHIN-CITROENDRESSING *foto blz. 76*

DEZE *dressing* GEEFT JE *falafel*, BURGER OF *salade* EEN *yummy twist*. ZO *lekker* DAT IK 'M OOK GEBRUIK ALS *dip*.

∽

BEREIDINGSTIJD
5 MINUTEN

INGREDIËNTEN (CA. 75 ML)
··· 1 1/2 EL TAHIN (SESAMZAADPASTA)
··· 1 TL HONING
··· 3 EL OLIJFOLIE
··· ZEEZOUT
··· ZWARTE PEPER
··· 1/2 GROTE SAPPIGE CITROEN
··· 1 TEENTJE KNOFLOOK

BEREIDING

Doe de tahin, honing, olijfolie, zout en zwarte peper in een kommetje. Knijp een halve citroen en de knoflook erboven uit en roer alles met een lepeltje door elkaar. Als je het mengsel te zuur vindt, doe je er wat extra honing bij.

SWEET HONEY DRESSING *foto blz. 66*

MIJN MOEDER, *mijn zus* EN IK MAKEN DEZE *dressing* EIGENLIJK BIJ AL ONZE *simpele* SALADES. WE ZIJN GEK OP DE *zoetzure* SMAAK. *Just makes us happy!* ZAL WEL IN DE GENEN ZITTEN.

BEREIDINGSTIJD
5 MINUTEN

INGREDIËNTEN
··· 2 EL BIOLOGISCHE MAYONAISE
··· 1 TL MOSTERD
··· 1 TL HONING
··· 1 TL BALSAMICOAZIJN
··· 2 EL EXTRA VIERGE OLIJFOLIE

BEREIDING
Doe de ingrediënten in een kommetje en meng de massa met een lepeltje door elkaar.

GEELWORTEL

Deze wortel verwerk ik in zoveel mogelijk recepten, omdat het zo'n mooi
kleurtje geeft. Maar nog belangrijker,
geelwortel (kurkuma, koenjit) heeft een
ontstekingsremmend effect. Je kunt het
in je sapjes verwerken, maar ook als
poweringrediënt in een curry. Geelwortel
is ook verkrijgbaar in poedervorm, fijn
om toe te voegen aan avondmaaltijden
en soepen. Combineer het met zwarte
peper; je lichaam neemt de wortel dan
beter op.

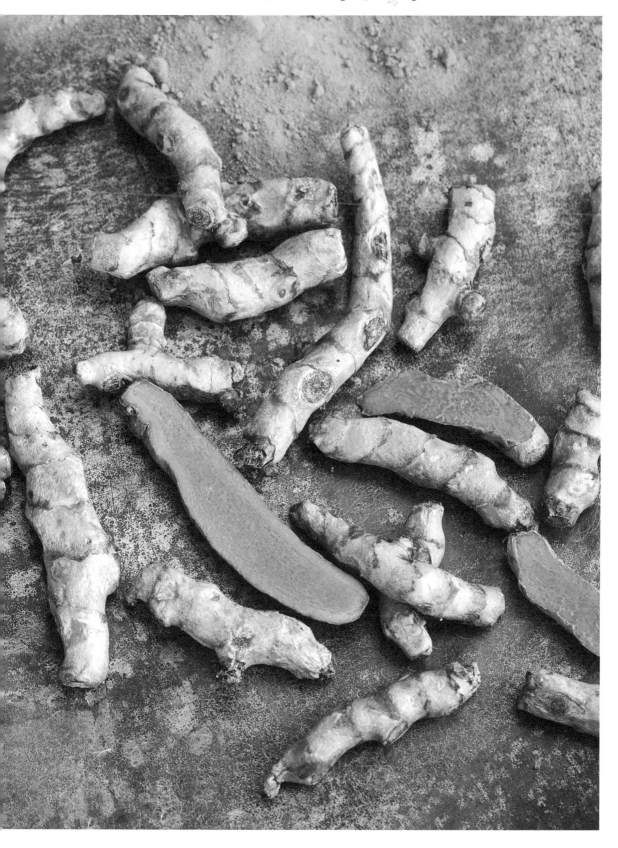

recept blz. 78

SPICY CURRYPASTA

DEZE PASTA GEBRUIK IK *to spice things up a little*. JE KUNT HET VERWERKEN IN SAUZEN, *curry's* OF IN ANDERE *oosterse* GERECHTEN. IK *roer* OOK VAAK EEN *lepeltje* DOOR DE POMPOENSOEP.

BEREIDINGSTIJD
15 MINUTEN

INGREDIËNTEN (CA. 8 PORTIES)
- 1 BIOLOGISCHE CITROEN
- 2 MIDDELGROTE RODE UIEN
- 3 TEENTJES KNOFLOOK
- 1 RODE PEPER
- 3 CM VERSE GEMBER
- 1 TL LAOSPOEDER
- 1 TL KORIANDERPOEDER (KETOEMBAR)
- 1 EL PAPRIKAPOEDER
- 2 EL GARAM MASALA
- 2 EL GEELWORTELPOEDER (KURKUMA)
- 2 TL KERRIEPOEDER
- 1 EL MOSTERDZAAD, GEMALEN
- 2 TL ZEEZOUT
- 1 TL ZWARTE PEPER
- 100 G TOMATENPUREE
- FLINKE SCHEUT PINDA- OF RIJSTOLIE

BENODIGDHEDEN
KEUKENMACHINE OF STAAFMIXER

BEREIDING

Rasp de schil van één citroen, snipper de uien, knoflook, rode peper en gember en meng met de overige ingrediënten. Mix het in de keukenmachine of met een staafmixer tot een gladde massa en klaar is Kees! Schep de curry in een afsluitbare pot. Deze currypasta is in de koelkast wel een week houdbaar.

Tip! Omdat je de schil gebruikt van de citroen, raad ik aan om een biologische te gebruiken. Gooi hem hierna niet weg. Je kunt het sap nog gebruiken!

THAISE DRESSING

Yum! DEZE DRESSING MAAKT JE *salades* EN *oosterse* NOEDEL- OF RIJSTGERECHTEN EXTRA *exotisch*.

BEREIDINGSTIJD
5 MINUTEN

INGREDIËNTEN
··· 2 EL GEMENGDE NOTENPASTA
··· 6 EL KOKOSMELK
··· 5 EL LIMOENSAP
··· 1 TL SESAMOLIE
··· SNUFJE HIMALAYA- OF ZEEZOUT
··· 1 TEENTJE KNOFLOOK

BEREIDING
Doe alle ingrediënten behalve de knoflook in een kommetje en pers de knoflook erboven uit. Roer met een lepeltje alles goed door elkaar.

recept blz. 79

CRANBERRYSAUS *foto blz. 33*

Classic VOOR OVER DE KALKOEN TIJDENS *Thanksgiving*, MAAR IK GIET DEZE *sweet & sour* SAUS OOK OVER POFFERTJES, *muffins* OF IK *verwerk* HET IN DESSERTS.

BEREIDINGSTIJD
30 MINUTEN

INGREDIËNTEN (CA. 5 DL)
- ··· 300 G BEVROREN CRANBERRY'S
- ··· 50 ML AHORNSIROOP
- ··· 200 ML WATER
- ··· MESPUNTJE KARDEMOMPOEDER
- ··· MESPUNTJE KANEELPOEDER
- ··· 1 TL RASP VAN EEN BIOLOGISCH LIMOEN
- ··· 1 EL VERSE GEMBER, GERASPT
- ··· 1 LIMOEN
- ··· 1 CITROEN

BENODIGDHEDEN
BLENDER

BEREIDING

Verwarm de cranberry's, ahornsiroop, water, kardemom en kaneel in een steelpannetje op middelgroot vuur. Rasp ondertussen een theelepel limoenschil en een eetlepel gember en doe dit bij de cranberry's. Knijp de limoen en citroen boven de pan uit en roer alles goed door elkaar. Laat ongeveer 25 min. zachtjes koken. Roer om de 5 min. en de laatste 10 min. constant.
Ik houd van zuur maar als je de saus wat zoeter wilt, dan kun je er wat meer ahornsiroop aan toevoegen.

CHOCOLADE-DADELSAUS *foto blz. 37*

HET KAN O ZO *simpel* ZIJN. DEZE SAUS IS BINNEN *no time* KLAAR EN IS DÉ *perfecte topping* OP EEN BOL IJS,
OP WAFELS OF WARME *pannenkoeken*.

BEREIDINGSTIJD
10 MINUTEN

INGREDIËNTEN
··· 40 G ONTPITTE DADELS
··· 120 ML AMANDEL- OF KOKOSMELK
··· 1 1/2 EL CACAOPOEDER

BENODIGDHEDEN
BLENDER

BEREIDING

Doe de dadels en melk in de blender en mix tot een gladde saus. Doe over in een steelpannetje, roer de cacao erdoor en breng het aan de kook. Zet het vuur laag en roer ongeveer 5 min. tot de saus wat dikker is geworden. Schenk dan over in een kannetje.

Ik vind het 't lekkerst om de saus warm over bijvoorbeeld wafels te serveren. Maar je kunt hem ook af laten koelen en in de koelkast bewaren en hem dan eventueel weer verwarmen voor een volgend gebruik.

recept blz. 141

KOKOSSLAGROOM

Halleluja! VOOR ALLE *slagroom-lovers* DIE ALTIJD HEEL VERSTANDIG *overslaan*, DEZE *guilty free-* VARIANT IS DE *uitkomst*. IK MAAK ALTIJD EEN *schaaltje* BIJ TAARTEN, *muffins* EN TOETJES.

BEREIDINGSTIJD
5 MINUTEN

WACHTTIJD
MINIMAAL 12 UUR

INGREDIËNTEN
(CA. 200 ML 'SLAGROOM')
··· 1 BLIK PURE KOKOSMELK (400 ML)
··· 1 EL AHORNSIROOP
··· MESPUNTJE VANILLEPOEDER,
ONGEZOET

BENODIGDHEDEN
SLAGROOMKLOPPER OF MIXER

BEREIDING

Zet het blik kokosmelk een nacht (minimaal 12 uur) in de koelkast. Het water en de room moeten gaan scheiden en dat gebeurt alleen als het koud genoeg is. Zet het bij voorkeur achter in de koelkast, want daar is het het koudst. Schud het blikje niet!

Open dan het blik en schep de crème (de bovenste dikke laag) met een lepel in een kom. Doe de ahornsiroop en het vanillepoeder erbij en klop met een slagroomklopper of mixer tot een glad en romig geheel. Gebruik eventueel een spuitzak voor de *look* – en garneer er je muffins, taart of dessert mee.

Tip! Gooi het kokoswater niet weg, gebruik het bijvoorbeeld in een smoothie.

Drinks

Enjoy life, sip by sip

Vroeger plukte ik rijpe vlierbessen van de boom in de tuin, die ik zelf mocht persen. Ik dronk het met citroen- en appelsap. Sindsdien ben ik crazy about juices. New York heeft me laten zien welke ingrediënten je allemaal wel niet in je drinks kunt verwerken. Boerenkool? Sure! Inmiddels kan ik niet meer zonder en begin én eindig ik elke dag met een smoothie, sap of een verwarmend avonddrankje.

CHAI GOODNIGHT DRINK

IN NEW YORK VOLGDE IK OOIT EEN *driedaagse* SAPKUUR EN DIT DRANKJE WAS DE *afsluiter* VAN ELKE DAG. IK VIND HET NET EEN *toetje*, OMDAT HET ZO LEKKER ZOET IS. DOOR DE KANEEL, *gember*, VANILLE EN *kardemom* WORD JE ER HEEL *zen* VAN. *Sweet dreams!*

VOORBEREIDINGSTIJD
MINIMAAL 30 MINUTEN

BEREIDINGSTIJD
5 MINUTEN

INGREDIËNTEN (1 LITER)
··· 70 G ONGEBRANDE CASHEWNOTEN
··· 400 ML WATER
··· 40 G ONTPITTE DADELS
··· 1 TL KANEELPOEDER
··· MESPUNTJE ZWARTE PEPER
··· 1/2 TL VANILLEPOEDER, ONGEZOET
··· 1/4 TL GEMBERPOEDER
··· 1/4 TL KARDEMOMPOEDER

BENODIGDHEDEN
BLENDER

BEREIDING

Week de cashewnoten minimaal 30 min. voor in ruim water. Je kunt dit al in de ochtend doen zodat het een hele dag kan weken. Doe daarna alle ingrediënten in de blender en mix ze fijn! Schenk het romige geheel in een lang, groot glas, steek er een rietje in en *enjoy*.

CHOCOLADEMELK

HEEL *dorstlessend* ALS JE HET KOUD DRINKT, MAAR JE KUNT DE CHOCOLADEMELK OOK IN EEN *pannetje* OPWARMEN. *Drink it nice 'n hot*, MAAR ZORG DAT HET NIET *gekookt* HEEFT, WANT DAARDOOR GAAN DE *voedende* STOFFEN VERLOREN.

BEREIDINGSTIJD
5 MINUTEN

INGREDIËNTEN (2 BEKERS)
··· 600 ML AMANDEL-, RIJST-,
    OF HAVERMELK
··· 6 ONTPITTE DADELS
··· 2 EL RAUWE CACAOPOEDER

BENODIGDHEDEN
BLENDER

BEREIDING
Doe de ingrediënten in de blender en mix ze tot een heerlijke chocolade-melk.

recept blz. 143

SUMMER JUICE *foto blz. 179*

Limoen, MUNT EN KOMKOMMER MAKEN DIT DRANKJE *very refreshing*. OP EEN WARME *zomerdag* GEEFT HET JE *vochtgehalte* EEN *boost*. KOMKOMMER IS *by the way* OOK HEEL GOED VOOR JE HUID EN *spieren*.

BEREIDINGSTIJD
15 MINUTEN

INGREDIËNTEN (CA. 700 ML)
··· 4 LIMOENEN
··· 2 KOMKOMMERS, GEWASSEN,
    IN STUKJES
··· BLAADJES VAN 5 TAKJES
    VERSE MUNT
··· 3 EL AHORNSIROOP
··· 200 ML WATER

BENODIGDHEDEN
BLENDER
ZEEF

BEREIDING

Knijp het sap van de limoenen boven de blender uit en voeg de komkommer en de muntblaadjes toe. Mix tot alles fijn is. Giet door een zeef in een kom of kan. Roer met een lepel nog even in de zeef, zodat al het sap eruit is.
Roer de siroop en het water erdoor. Schenk in een glas met veel ijsblokjes of gecrusht ijs.

Kickstart your day MET DEZE SHOTS. OF *lekker* OM WAKKER TE WORDEN UIT EEN MIDDAGDIPJE.
It'll boost your body!

SHOT OF JOY *foto blz. 182*

BEREIDINGSTIJD
10 MINUTEN

INGREDIËNTEN (CA. 75 ML)
··· 1 GROTE SCHIJF ANANAS
··· 5 CM GEMBER, GERASPT
··· MESPUNTJE CAYENNEPEPER

BENODIGDHEDEN
SLOWJUICER OF SAPCENTRIFUGE

BEREIDING
Snijd per shot één schijf ananas, schil deze en halveer. Doe de stukken ananas met de gember in de juicer. Schenk het sap in een shotglaasje, voeg een mespuntje cayennepeper toe en roer even. *Cheers!*

KALE ME CRAZY *foto blz. 182*

BEREIDINGSTIJD
8 MINUTEN

INGREDIËNTEN (CA.100 ML)
··· 1 APPEL
··· 100 G BOERENKOOL
··· 1/2 CITROEN

BENODIGDHEDEN
SLOWJUICER OF SAPCENTRIFUGE

BEREIDING
Snijd de appel in stukjes en doe deze samen met de boerenkool in de juicer. Knijp een halve citroen boven het boerenkoolsap uit. Schenk het sap in een shotglaasje en *you are ready to go!*

WATERMELON MOCKTAIL

This is such a sexy drink! WATERMELOEN IS NAMELIJK NIET ALLEEN *onwijs* LEKKER, *verfrissend* EN *caloriearm*, HET IS BOVENDIEN *rijk* AAN IJZER, KALIUM, *vitamine C* EN... GOED VOOR JE LIBIDO. *Nice!*

VOORBEREIDINGSTIJD
2 UUR

BEREIDINGSTIJD
5 MINUTEN

INGREDIËNTEN (CA. 500 ML)
··· 1/2 WATERMELOEN (1 KILO)
··· 1/2 LIMOEN
··· 8 BLAADJES MUNT
··· 1 EL RAUWE HONING (OPTIONEEL)
··· 1 APPEL

BENODIGDHEDEN
BLENDER
JUICER
IJSBLOKJESVORM
KLEIN ZEEFJE

BEREIDING
Snijd de watermeloen in stukjes en pureer ze in de blender of juicer. Schenk een ijsblokjesvorm vol tot net iets onder het randje en laat het sap in minimaal 2 uur bevriezen.

Giet vervolgens het overgebleven sap door het zeefje in een glas zodat je de pulp opvangt. Doe het sap terug in de blender, knijp een halve limoen erboven uit, doe de muntblaadjes erbij en eventueel wat honing.

Maak appelsap in de juicer en doe dat ook in de blender. Zijn de watermeloenijsklontjes (intussen) bevroren? Doe ze er dan bij in de blender en mixen maar!

recept blz. 176

Power
food

recept blz. 185

recept blz. 177

recept blz. 177

VIRGIN MOJITO

I loooove COCKTAILS, MAAR IK BEN *easy on alcohol*. DEZE MOJITO IS MINSTENS ZO *lekker* ALS DE *real deal* EN IK KAN ER *makkelijk* EEN *nacht* LANG OP *dansen.*

BEREIDINGSTIJD
8 MINUTEN

INGREDIËNTEN (2 GLAZEN)
··· HANDJE BASILICUMBLAADJES
··· 2 HANDJES MUNT
··· 1 1/2 LIMOEN
··· 1 EL KOKOSBLOESEMSUIKER
··· 700 ML KOOLZUURHOUDEND
    WATER
··· 2 TAKJES MUNT

BENODIGDHEDEN
LANG GROOT GLAS
HOUTEN LEPEL OF STAMPER

BEREIDING

Doe basilicum, munt, limoen en kokosbloesemsuiker in een lang, groot glas. Mix, stamp en druk de ingrediënten met een houten lepel of stamper fijn, zodat je het sap eruit perst en het aroma vrijkomt.
Voeg het koolzuurhoudend water toe en roer alles goed door elkaar.
Verdeel het over 2 glazen, steek er een munttakje en een rietje in.

HEAT UP DRINK

's Winters START IK MIJN DAG MET DIT *verwarmende* DRANKJE. TE *chill* OM IN ALLE *rust* TE BEGINNEN, MAAR IK DRINK HET OOK *'s avonds* OP DE BANK OM OP TE WARMEN ALS HET BUITEN *vriest*.

BEREIDINGSTIJD
CA. 30 MINUTEN

INGREDIËNTEN (4 KLEINE MOKKEN)
- 30 G VERSE GEMBER, ONGESCHILD
- 750 ML WATER
- 4 KRUIDNAGELS
- MESPUNTJE KARDEMOMPOEDER
- 1 TL ANIJSZAAD
- SCHIL EN SAP VAN 1 BIOLOGISCHE CITROEN
- 4 TL HONING

BENODIGDHEDEN
RASP
FIJNE ZEEF

BEREIDING

Rasp de ongeschilde gember. Breng alle ingrediënten behalve het citroensap en de honing in een kleine steelpan aan de kook en laat dit 20 min. zachtjes sudderen. Zeef het vervolgens boven mokken en voeg citroensap en honing naar smaak toe. Roer goed en serveer.

Power food

HEARTBEET *foto blz. 182*

ALS IK EEN UUR VOOR IK GA *hardlopen* EEN GLAS VAN DEZE SMOOTHIE *achteroversla*, *merk* IK ECHT EEN VERSCHIL IN *energie*. DE RAUWE *bietjes* VERBETEREN DE *zuurstofopname* IN JE CELLEN, EN DAAR GA JE NÉT IETS *harder* VAN LOPEN.

BEREIDINGSTIJD
10 MINUTEN

INGREDIËNTEN (CA. 500 ML)
... 2 RAUWE RODE BIETEN
... 1 LIMOEN
... 1 BANAAN
... MESPUNTJE CAYENNEPEPER
... 1 TL HENNEPPOEDER
... 200 ML HAVER- OF AMANDELMELK

BENODIGDHEDEN
JUICER
BLENDER

BEREIDING

Snijd de schoongemaakte bietjes in stukjes en doe ze in de juicer. Halveer de limoen en knijp deze boven de blender uit. Voeg hier de banaan en de andere ingrediënten aan toe. Schenk de bietenjuice erbij en mix alles tot een romige rode massa.

ANANAS

I love this fruit! De smaak geeft me helemaal die tropische eiland-*vibe*. Een rijpe, verse ananas is fris, heeft stevig, sappig vruchtvlees en is heerlijk zoet. Je kunt aan de binnenste blaadjes trekken om te voelen of de ananas goed rijp is. Komen ze los, dan is 'ie *ready to eat*. Heerlijk in een smoothie, juice of gewoon in stukjes als snack. En zo'n verse ananas staat ook zó gezellig in je keuken.

GREEN MACHINE

ALS IK EEN TIJDJE WAT MINDER *groene groenten* HEB BINNENGEKREGEN, MAAK IK VAAK EEN GROOT *glas* VAN DEZE *smoothie*. DOOR DE *ananas* IS 'IE EEN BEETJE ZOET. DE *waterkers* EN GEMBER GEVEN 'M *pit*.

BEREIDINGSTIJD
10 MINUTEN

INGREDIËNTEN (1 LITER)
··· 1 CITROEN
··· HANDJE WATERKERS
··· 1/4 KOMKOMMER
··· 16 GRAM GEMBER (BIOLOGISCHE, ONGESCHILD)
··· 1 AVOCADO
··· 100 GRAM BABYSPINAZIE
··· 2 SCHIJVEN ANANAS
··· 1 TL SPIRULINA- OF CHLORELLAPOEDER
··· 500 ML KOKOSWATER (OF EEN ANDERE PLANTAARDIGE MELK)

BENODIGDHEDEN
BLENDER

BEREIDING
Pers de citroen uit en mix met de rest van de ingrediënten tot een romige smoothie.

Power food

recept blz. 13

It's a wrap!

*D*it is 'm: boek twee! Wow, ik kan het niet eens bevatten.

Mijn eerste boek *Powerfood* was een ongelofelijke droom die uitkwam. En *oh my*, wat was het een succes! Al heel snel nadat ik de rollercoaster een beetje onder controle had, werd ik geïnspireerd om nog meer recepten op te schrijven. Dankzij mijn roots in Friesland en liefde voor New York heb ik zo veel heerlijk eten ontdekt en dat moest gewoon gedeeld worden. Ik heb mezelf weer weken opgesloten in mijn – nog steeds – minikeukentje in Amsterdam. *Et voilà!* Boek twee ligt voor je neus. *Hard work pays off.*

Dit mooie boek had ik niet kunnen maken zonder mijn briljante, hardwerkende Powerfood-team. Ik had het *never* alleen voor elkaar kunnen krijgen. *Thank you* Tanja Terstappen, Bülent Yüksel, Yokaw Pat, Anne Timmer en Renske van der Ploeg. Ook heel veel dank voor het culinaire fotografie-team. *It looks so good! You guys are awesome!*

Also give it up for Uitgeverij Unieboek | Het Spectrum: geweldig dat jullie zo in me hebben geloofd en me de mogelijkheid hebben gegeven om me te ontwikkelen. En datzelfde geldt voor The Fame Game: Roosmarijn Nuijens en Robin Goudsmit, jullie steunen me in al mijn toffe klussen, en waren de *best support* bij het maken van dit boek. *We did it!*

Ik kan het niet vaak genoeg benoemen: gezond eten is me met de paplepel ingegoten. En daar ben ik zo ontzettend dankbaar voor. *Thanks* heit en mem, niemand kan dit *ever* van mij afpakken. *And last but not least: Sid, my love. You're giving me so much inspiration, thank you for empowering me. This year was crazy but awesome. I love you.*

Liefs, Rens!